«Tarde o temprano, a todos nos alcanza el rayo».

GREGORY MAGUIRE,
Un león entre hombres

BRIAN S

MAR

TRADUCCIÓN DE ANA H. DE DEZA

E L Z N I C K

AVILLAS

Una novela contada
con dibujos y palabras

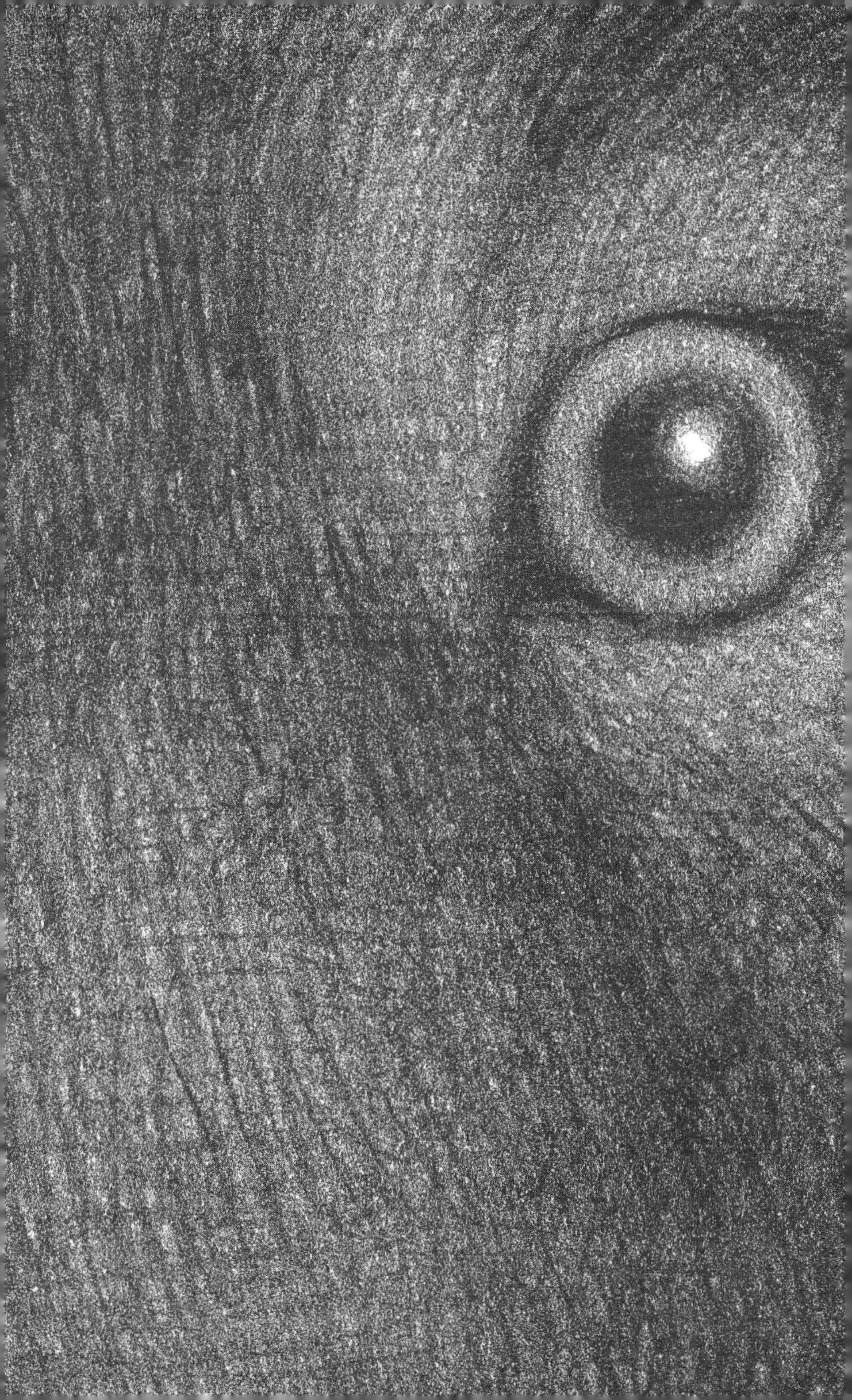

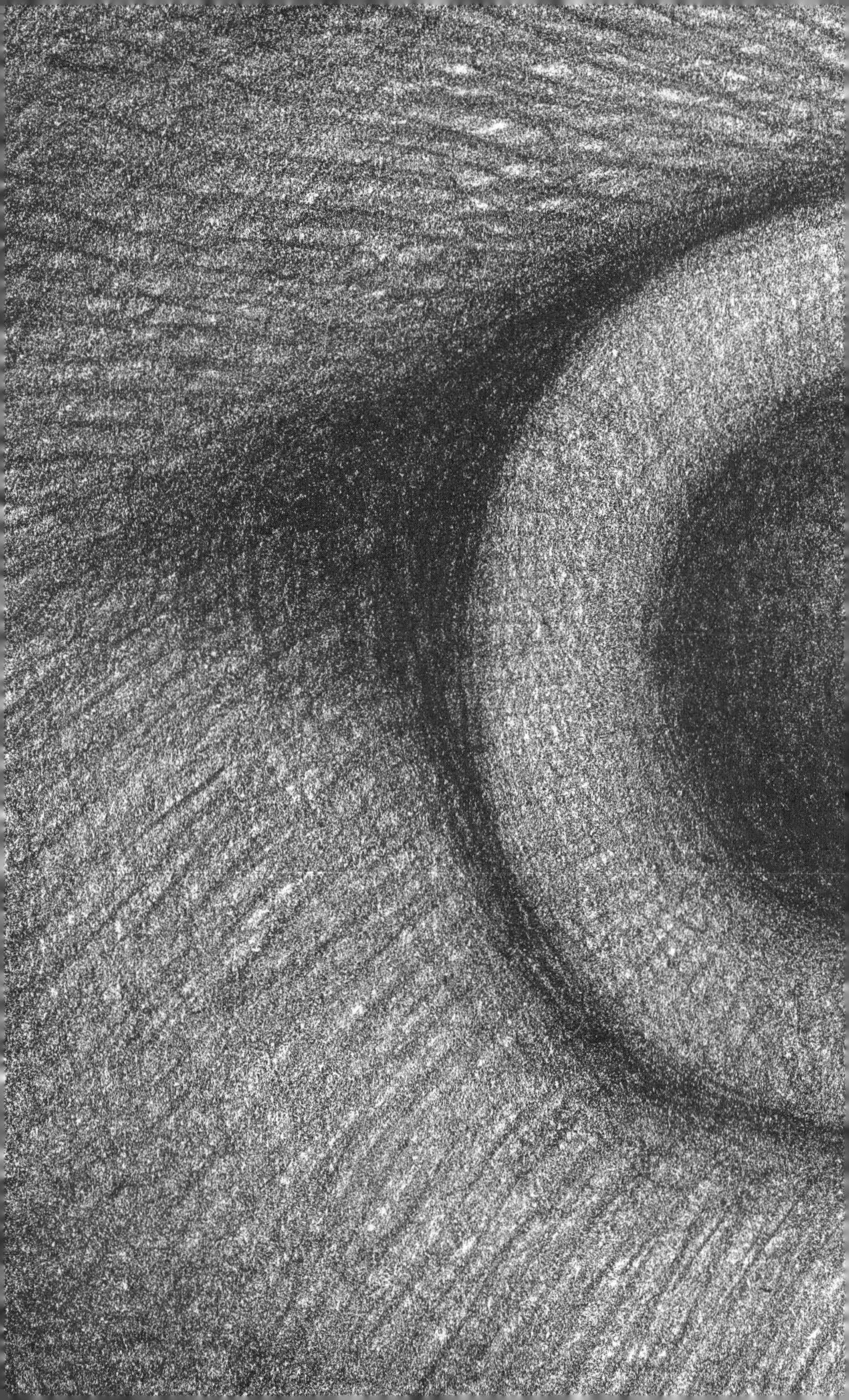

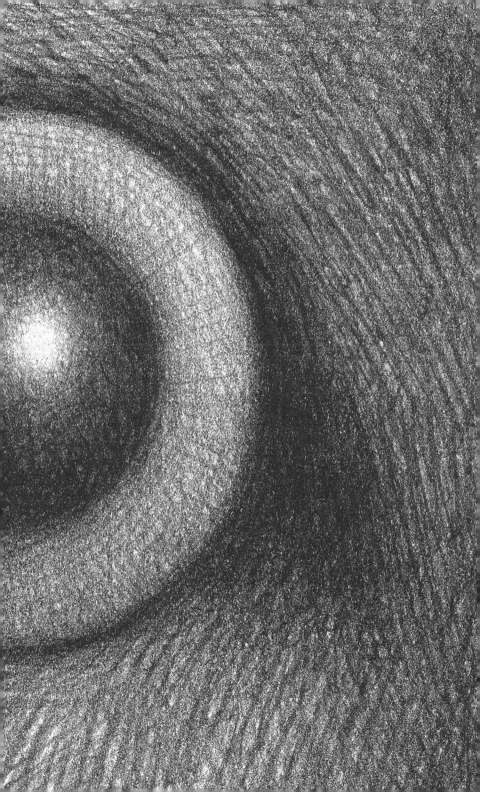

GUNFLINT LAK

JUNIO D

E, MINNESOTA

E 1977

PRIMERA PARTE

Ben Wilson abrió los ojos al sentir un golpe. Los lobos habían estado persiguiéndole otra vez, y el corazón le latía con fuerza. Se incorporó en la oscuridad de la habitación frotándose el brazo, agarró el zapato que le había lanzado su primo y lo dejó caer al suelo.

–¡Robby, me has hecho daño!

Su primo murmuró algo.

–¿Qué dices? –preguntó Ben.

–¿Qué dices? ¿Qué dices? ¿No me oyes? ¿Es que estás sordo? –Robby, como casi todos los habitantes de Gunflint Lake, sabía que Ben había nacido sordo de un oído, pero le parecía gracioso preguntárselo una y otra vez, incluso en mitad de la noche–. ¡He dicho que dejes de gritar en sueños!

En la esquina de la habitación, el rifle de caza de Robby brillaba a la luz de la luna. Cerca se amontonaban una caña de pescar, una navaja, un arco con sus flechas, varios arpones caseros y hondas de diferentes tamaños. Robby tenía tendencia a coleccionar objetos, casi todos peligrosos.

Ben se recostó en su vieja cama, que estaba encajada entre la ventana y la cómoda. El ventilador se había roto y los dos chicos estaban sin camiseta, sudorosos por el calor del verano. Habían retirado las sábanas, pero aun así tenían el pelo pegado a la frente. A Ben todavía le temblaban las manos por la pesadilla. Había empezado a soñar con lobos tras el accidente: aparecían al galope sobre la nieve iluminada por la luna, mostrando sus lenguas rojas y sus colmillos brillantes. No entendía por qué le perseguían; siempre le habían gustado los lobos. Una vez, su madre y él habían visto uno desde el porche de su casa. Era bello y misterioso, como salido de un cuento de hadas.

En el exterior, el viento comenzó a silbar entre las hojas de los árboles. La estación de radioaficionado de Robby emitía un rumor confuso; Robby se empeñaba en dejarla encendida toda la noche. A Ben no le molestaba demasiado. Estar sordo de un oído tenía sus ventajas: si pegaba el oído bueno a la almohada, podía bloquear todos los ruidos molestos. En el colegio usaba el mismo truco: cuando no quería escuchar al profesor o a sus compañeros, apoyaba la oreja en la mano y se ponía a leer algún libro de astronomía de los que ocultaba en la cajonera.

–Estoy harto de compartir mi habitación contigo... –masculló Robby antes de quedarse dormido.

Ben asintió sin decir nada.

Un ruido familiar le llamó la atención y pegó el oído bueno a la pared.

–Ya han pasado tres meses desde que murió, Jenny. Deberíamos pensar en venderla...

Ben suspiró: sus tíos estaban hablando otra vez de su casa.

–Elaine adoraba esa casa, Steve –replicó la tía Jenny–. Mi abuelo la construyó al mismo tiempo que esta, y luego hizo la cabaña de invitados; no podemos vender así como así algo que forma parte de la historia familiar. ¿Y si lo dejamos de momento?

Ben imaginó a su tía ajustándose la goma de la coleta mientras hablaba, el mismo tic que tenía Janet, la hermana mayor de Robby. Su madre también lo hacía cuando tenía algo importante que decir.

–Habrá que venderla tarde o temprano –protestó Steve–. No se puede quedar vacía eternamente; nos han surgido muchos gastos, y ahora también está Ben.

–Tienes reservada toda la temporada con grupos de caza y pesca, y yo cocino en el hotel Gunflint. Todo irá bien.

–Sí, pero el dinero no nos alcanzará para todo el año.

–El verano acaba de empezar, Steve. ¿Por qué preocuparnos ahora de esto?

Se hizo un largo silencio.

Cuando era pequeño, Ben nunca se había planteado a quién pertenecía su casa. Su madre y él habían vivido siempre en ella, pero ahora parecía ser de sus tíos. ¿Por qué no seguía siendo de él? ¿Es que un niño no podía poseer una casa? Después del funeral, en marzo, Ben había pensado que podría volver a su casa cuando le apeteciera, ya que solo estaba a ochenta y tres pasos de la de sus tíos. Pero cuanto más tiempo pasaba, más miedo le daba abrir la puerta principal y no encontrar a su madre al otro lado para recibirlo.

No había demasiadas casas junto al lago, y las demás se encontraban a bastante distancia. Ben echaba de menos el agradable desorden de su hogar: las mesas bajas, las sillas desparejadas, los viejos relojes, las citas que su madre recortaba cuidadosamente y pegaba a la nevera, las láminas de sus obras de arte favoritas, los engranajes oxidados y todas las otras cosas curiosas que Ben había ido recolectando en sus paseos por el lago y por el pueblo, su colección de discos, la chimenea de piedra, el cuerno de alce que había encontrado en la carretera de Gunflint... y, por supuesto, los libros, que ya no cabían en las estanterías y se amontonaban por toda la casa.

Si sus tíos la vendían, pensaba Ben, ¿qué pasaría con todas sus cosas? ¿Y con las de su madre? ¿Quién viviría allí?

Tal vez pudiera guardarlo todo en la cabaña de los invitados. Cuando Ben era pequeño, jugaba allí con sus primos si no había nadie alojado. Imaginaban que era el castillo de una bruja o un barco pirata; aunque solo estaba a cien metros del lago, allí se sentían a kilómetros de los adultos. A Ben le parecía que habían pasado milenios desde entonces.

Sus tíos habían dejado de discutir. El reloj del pasillo dio la medianoche. Incapaz de conciliar el sueño, Ben se estiró para alcanzar la linterna roja y la caja que tenía ocultas bajo la cama.

La caja, del mismo tamaño que su libro de matemáticas, era de madera brillante y suave. Su base estaba forrada de fieltro verde, y en la tapa tenía grabado un lobo. La había fabricado un artesano del pueblo y su madre se la había regalado a Ben el año anterior, en Navidad. Aquello era todo lo que Ben había traído consigo: la caja, la linterna y dos maletas de ropa.

Encendió la linterna, recogió los pantalones del suelo, sacó una llave del bolsillo, la encajó en la cerradura de latón de la caja y la abrió. Uno a uno, fue acariciando los objetos que guardaba en su interior.

La caja estaba organizada en compartimentos separados por tiras de cartón. Entre otras cosas, Ben guardaba allí varias ramas curiosas, su último diente de leche, una ficha suelta de un juego (la había encontrado detrás del colegio mientras jugaba con su amigo Billy, quien siempre se burlaba de él por recoger cosas del suelo), un cráneo de pájaro y un fósil llamado estromatolito que había descubierto en una excursión a las colinas cercanas. En otra de las celdillas había dos piedrecitas grises y rugosas. Ben agarró una y la hizo rodar por la palma de la mano. Su madre le había contado que aquellas piedras, llamadas ejecta, tenían dos mil millones de años, al igual que el lago junto al que vivían, y que se habían formado por el impacto de un meteorito.

La idea del meteorito fascinaba a Ben, así que su madre le llevó a la biblioteca donde trabajaba y le enseñó varios libros sobre el espacio. Sentado a su lado en el enorme escritorio de color naranja, entre libros y papeles que formaban montones más altos que él, Ben encontró un dibujo de la Osa Mayor y la Osa Menor, con la estrella Polar en el extremo. El libro decía que a lo largo de los siglos, innumerables viajeros habían buscado esa estrella para orientarse cuando perdían el rumbo.

–Si te pierdes alguna vez –dijo su madre cuando Ben le enseñó el libro–, basta con que busques la estrella Polar y ella te mostrará el camino a casa.

Luego le sonrió y señaló un corcho que había al lado del escritorio.

A diferencia de la nevera de su casa, el corcho solo mostraba una cita:

–«Todos estamos en el fango» –leyó Ben en voz alta–, «pero algunos miramos a las estrellas».

Como su madre era la bibliotecaria del pueblo, Ben estaba acostumbrado a vivir rodeado de citas de libros, muchas de las cuales no acababa de comprender. Sin embargo, esta le impresionó de una forma extraña. Se quedó pensativo.

–¿Qué significa? –preguntó al fin.

Su madre sonrió y se encogió de hombros.

Ben estaba convencido de que lo sabía perfectamente, pero prefería que lo descubriera por sí mismo.

–¿Lo dijo un astrónomo?

Ella volvió a encogerse de hombros. Ben hubiera jurado que la respuesta se encontraba ahí mismo, justo tras los ojos de su madre, fuera de su alcance.

Durante la semana siguiente, Ben se leyó todos los libros sobre el espacio que le buscó su madre, y después la convenció de que le permitiera pintar de negro su habitación. En la tienda del pueblo compró un montón de estrellas que brillaban en la oscuridad y las pegó por las paredes y el techo. Colocó la Osa Mayor, la Osa Menor y la estrella Polar justo encima de su cama.

Su madre le sorprendió regalándole un viejo telescopio que compró con el dinero que guardaba para emergencias. Ben lo colocó junto a la ventana y todas las noches, antes de acostarse, contemplaba el cielo con él. Un día que Billy fue a su casa, se quedó mirando las estrellas pegadas, el telescopio y los libros sobre el espacio y dijo:

—Ajá. Ya lo entiendo: eres un extraterrestre.

Ben se rio con Billy, pero a partir de entonces, cada vez que miraba por el telescopio pensaba lo mismo: «Soy un extraterrestre».

Guardó la piedrecilla gris en su compartimento y pensó en aquella cita y en lo que significaría para su madre. Luego la apartó de su mente y sacó el cráneo de pájaro que había encontrado mientras paseaba por la carretera de Gunflint. Pasó los dedos por la suave bóveda y rozó la punta afilada del pico. Su madre había insistido en que investigara de qué especie se trataba, y Ben había acabado por descubrir que era un ampelis. Para conseguirlo tuvo que leerse todos los libros sobre pájaros que había en la biblioteca, y ahora era capaz de identificar veintitrés especies solo por el esqueleto. En un libro de pájaros de Minnesota había encontrado una referencia al museo de Duluth y a su colección de esqueletos de aves.

—¿Podemos ir a verlo, mamá? Solo son cuatro horas de viaje.

Su madre se ajustó la coleta y dijo que se lo pensaría.

Cuanto más leía Ben sobre las colecciones del museo, más le apetecía visitarlo. Se lo estuvo pidiendo durante meses, hasta que un día ella le preguntó:

—¿Eso es lo que quieres de regalo de cumpleaños? ¿Una visita a Duluth?

–¡Sí! –exclamó Ben.

–No te emociones tanto... Ya veremos.

Ben suspiró y se frotó los ojos como si quisiera borrar aquel recuerdo. Guardó la calavera en la caja y pensó en todo el tiempo que había pasado con su madre en la biblioteca después de clase, leyendo libros de pájaros o del espacio y haciendo los deberes. Si hubiera estado con ella el día del accidente, si no se hubiera quedado enfermo en la cama... podría haberla ayudado; al menos habría visto la nieve y el hielo en la carretera, y le habría recordado que se pusiera el cinturón. Ben deseó ser capaz de retroceder en el tiempo.

Respiró hondo y cerró los ojos, pensando que ya nunca visitaría Duluth. Sus tíos no podían permitirse ir de viaje, y menos ahora que tenían que ocuparse de él. Aunque los quería, se sentía como un extraño en su casa. Pero ¿dónde iba a vivir si no? No tenía más familia: sus abuelos habían muerto cuando era muy pequeño, y no sabía nada de su padre. La única vez que le había preguntado a su madre por él, ella se había ajustado la coleta varias veces y luego la había deshecho. Mientras el pelo le caía suelto por los hombros, sus ojos se llenaron de lágrimas. Ben jamás la había visto llorar y se quedó espantado, así que no volvió a preguntar. Justo después, ella puso su disco favorito y escogió una canción llamada *Space Oddity*, que hablaba de un astronauta llamado comandante Tom que se perdía en el espacio. Su madre la escuchaba una y otra vez: con los ojos cerrados, posaba la palma de la mano en el altavoz para sentir las vibraciones.

Aquella noche ya lejana, mientras miraba las estrellas que fosforescían en el techo, Ben imaginó que el comandante Tom era su padre y se preguntó qué aspecto tendría. ¿Sabría que tenía un hijo? ¿Regresaría algún día a la Tierra?

Ben abrió los ojos y contempló el círculo luminoso que dibujaba la linterna en la caja posada en su regazo. Desde la muerte de su madre había pensado mucho en el comandante Tom; le gustaba imaginar que su nave espacial aterrizaba detrás de la casa de sus tíos. Mientras toda su familia le miraba, Ben subía a bordo y desaparecía en el firmamento. Sabía que se trataba de una fantasía infantil, pero no era capaz de quitársela de la cabeza.

Alargó la mano hacia la caja y agarró una tortuga fabricada con conchas, suave y fría al tacto. Su madre se la había regalado al empezar tercero en el colegio, como una especie de broma entre los dos. Cuando Ben era pequeño, ella le llamaba Tortuguita porque era muy callado.

–¿Sabes qué, Tortuguita? –le dijo antes de salir de casa hacia el colegio–. De vez en cuando hay que sacar la cabeza de la concha... Habla, sé valiente –le pasó la mano por la mejilla, le acarició el mentón y le levantó la cara hasta que sus miradas se encontraron–. No te portes como una tortuga. Mira a los ojos de la gente sin miedo cuando te hablen, ¿de acuerdo?

–De acuerdo –respondió él sosteniéndole la mirada.

–Mucho mejor.

Ben apretó la tortuga en la mano y dejó la caja y la linterna sobre la cama. Abrió la mosquitera y se asomó por la ventana; el aire húmedo parecía pegarse a su piel. Miró en dirección a su casa, entre los árboles. Un mosquito zumbó junto a su oído bueno. Inclinó la cabeza hacia la derecha y escuchó las voces que salían de la emisora de Robby. Un camionero informaba de que se acercaba una tormenta. Ben contempló el cielo: estaba cada vez más encapotado, pero aún se veían estrellas entre las nubes.

Ben había creído a su madre cuando le dijo que nunca se perdería si encontraba la estrella Polar, pero ahora se daba cuenta de que no era cierto.

La cita misteriosa del corcho resonó en su memoria:

«Todos estamos en el fango, pero algunos miramos a las estrellas».

HOBOKEN, N

OCTUBRE

UEVA JERSEY

DE 1927

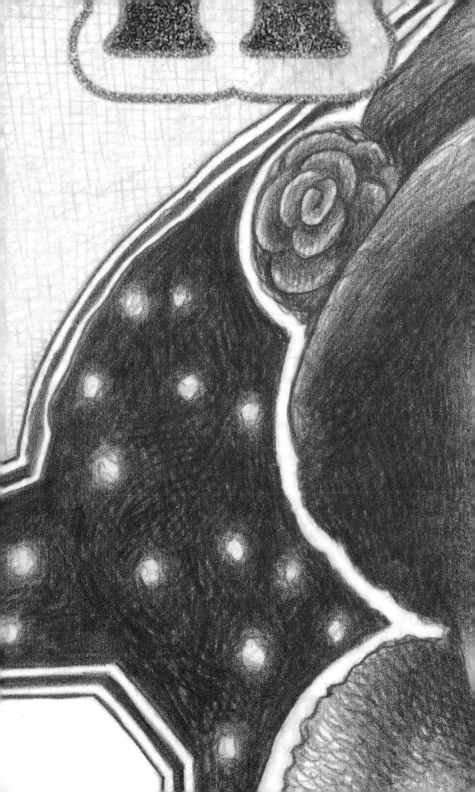

FEBRERO DE 1927
Feliz cumpleaños,
Rose.
Besos de Walter
Miss Rose Kincaid
168 River Street
Hoboken, N. J.
OCTOBER
MOVIESTAR MAGAZINE
CHILDREN
CRY
FOR
Mother!

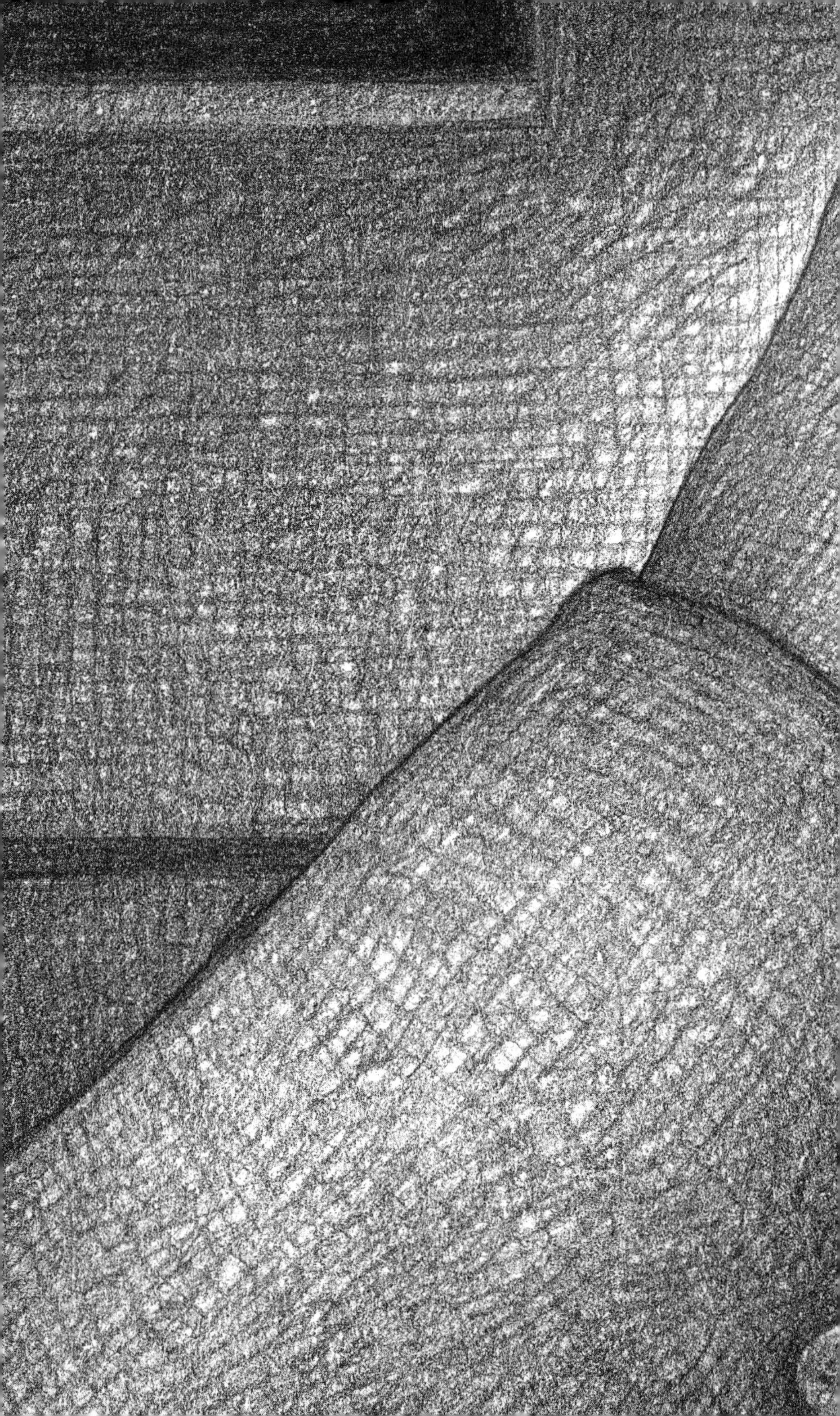

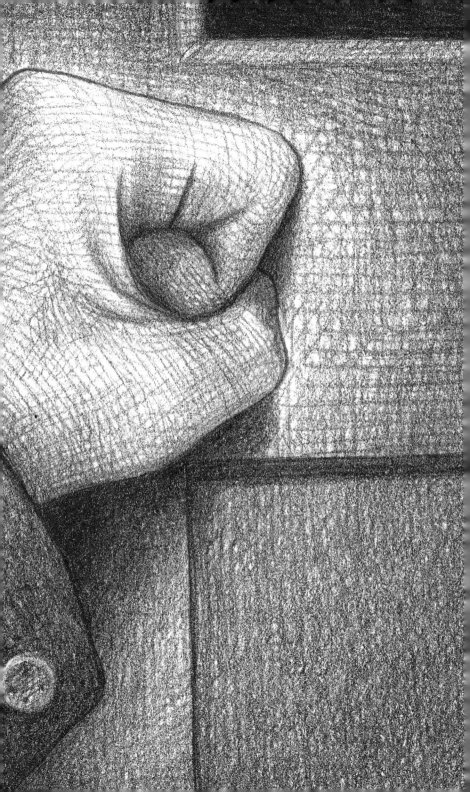

Ben estuvo asomado a la ventana hasta que el alféizar le dejó una marca roja en el pecho. Observó el avance de las nubes y recordó las veces que había visto la aurora boreal extenderse por la bóveda celeste. Cuando eso ocurría, los vecinos del lago llamaban a todos sus conocidos, fuera la hora que fuera, para que contemplaran el extraño resplandor que vibraba sobre sus cabezas. Ben y su madre habían salido de su casa más de una vez para verlo; aunque ella había dejado de fumar hacía dos veranos, Ben recordaba bien el olor de sus cigarrillos. Se la imaginó cruzada de brazos, expulsando el humo por la comisura. Si hacía tanto frío como para que se formara vaho al respirar, Ben cruzaba los brazos y soltaba el aliento igual que hacía ella con el humo. Su madre se reía, abría su chaqueta para envolver a Ben en ella y los dos contemplaban durante horas los hermosos colores del cielo.

De pronto, un destello interrumpió los recuerdos de Ben. Con los ojos muy abiertos, contempló una estrella fugaz que ardía entre las nubes antes de desaparecer y pidió un deseo relacionado con su madre, aunque sabía que no se haría realidad.

No se había dado cuenta de la fuerza con la que apretaba la tortuga hasta que se le clavó en la piel. Estuvo a punto de soltar un grito, pero se contuvo: no quería volver a despertar a Robby.

Entonces observó algo muy extraño. A ochenta y tres pasos de distancia, en la silueta oscura de su casa, se había encendido una luz. Las cortinas de la habitación de su madre resplandecían con un color amarillo brillante.

Ben las miró con incredulidad.

Algo mareado, guardó la tortuga en la caja, echó la llave y la metió de nuevo bajo la cama. El corazón le latía con fuerza mientras se ponía una camiseta vieja y se enfundaba las zapatillas de deporte sin molestarse en atarles los cordones.

Agarró la linterna roja y salió sigilosamente de la casa de sus tíos.

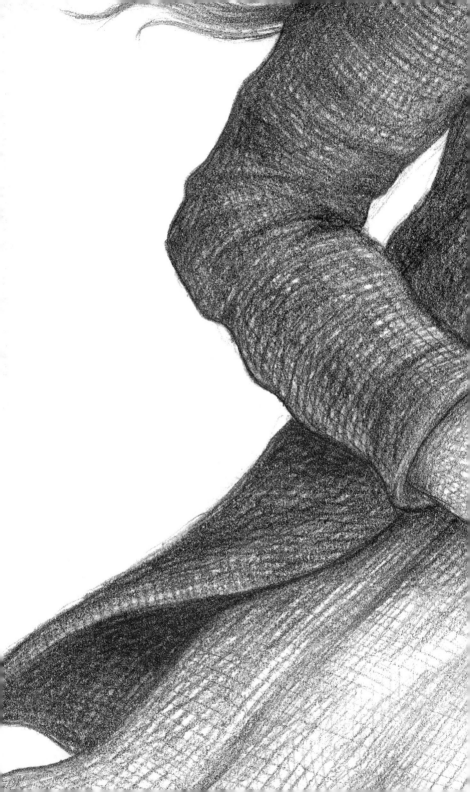

El agua del lago lamía el muelle y hacía entrechocar los barcos amarrados.

Ben oyó el extraño reclamo de un colimbo y observó el débil brillo que parecían emitir los guijarros de la orilla en la oscuridad. De noche, el bosque tenía un aspecto misterioso, y la linterna no arrojaba más que un tenue haz de luz.

Siguió avanzando hasta su casa bajo la bóveda de ramas negras, acercándose a la ventana iluminada que le llamaba como un ojo abierto en la oscuridad.

Su casa estaba siempre abierta, como todas las que rodeaban el lago. Ben entró sin hacer ruido por la puerta de la cocina y paseó el foco de la linterna por la habitación. Alguien había retirado las flores y la comida del día del funeral, pero el tarro de galletas con forma de búho sin cabeza continuaba en el estante, como siempre. El cajón desvencijado donde la madre de Ben guardaba los trastos estaba cerrado. La nevera seguía cubierta de citas. Aquello era como entrar en un museo de su antigua vida.

Una melodía resonaba débilmente a lo lejos. Ben giró la cabeza para escucharla y un escalofrío le recorrió la espalda.

This is Major Tom to ground control;
I'm stepping thro' the door,
And I'm floating in a most peculiar way.

And the stars look very different today
For here am I sitting in a tin can far above
the world. [...]*

Ben oyó un ruido de pasos y giró el oído bueno para distinguirlo mejor. Parecía venir de la habitación de su madre.

Aunque no creía en fantasmas, cuando era pequeño su madre le había leído algunos cuentos que le habían quitado el sueño. Avanzó de puntillas por el corredor hacia la habitación de su madre. La sangre le latía en las sienes. Notó un débil olor a humo de tabaco que se fue haciendo más fuerte según se acercaba.

Se detuvo en el pasillo, mareado de terror. «No te portes como una tortuga».

Dio dos o tres pasos hasta quedar justo delante de la puerta. Apagó la linterna y se la guardó en el bolsillo trasero del pantalón.

La puerta estaba entreabierta, y por la rendija se distinguía una lámina de Van Gogh: un enorme árbol negro bajo un cielo nocturno lleno de estrellas arremolinadas. Una sombra se desplazó por la habitación.

Ben recordó la estrella fugaz y el deseo imposible que había pedido. Con las manos temblorosas, abrió la puerta.

---

* Comandante Tom a control de Tierra; / estoy saliendo por la puerta / y floto de una forma muy extraña. / Las estrellas hoy parecen diferentes / porque me encuentro en un trasto de hojalata muy lejos del mundo. [...]

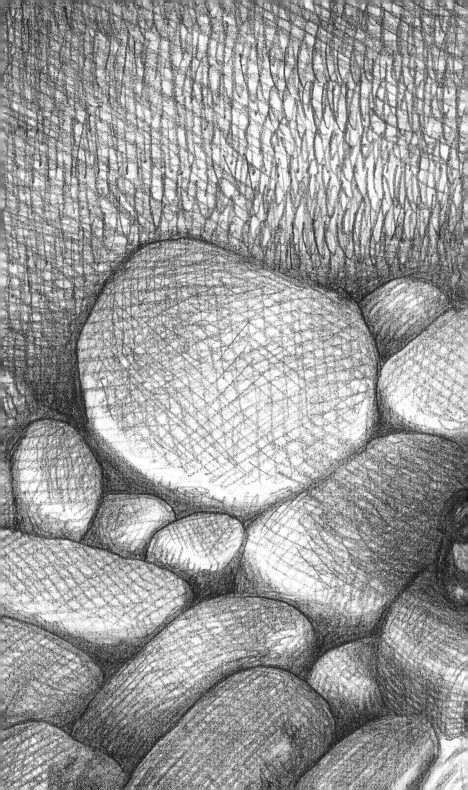

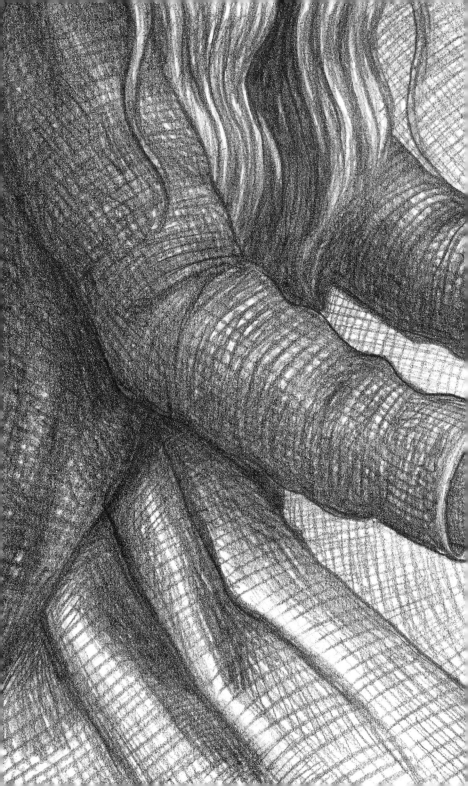

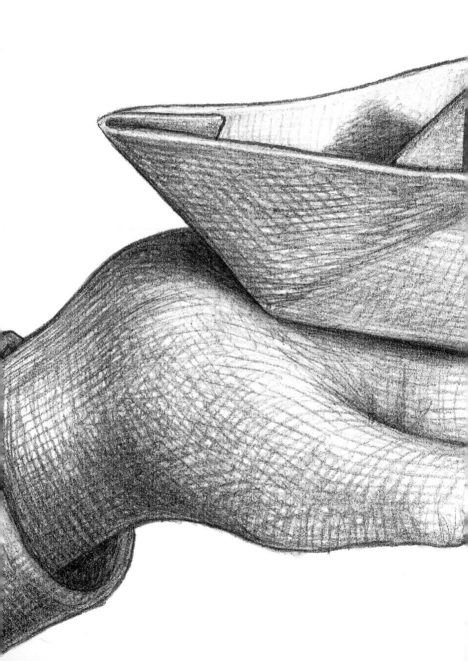

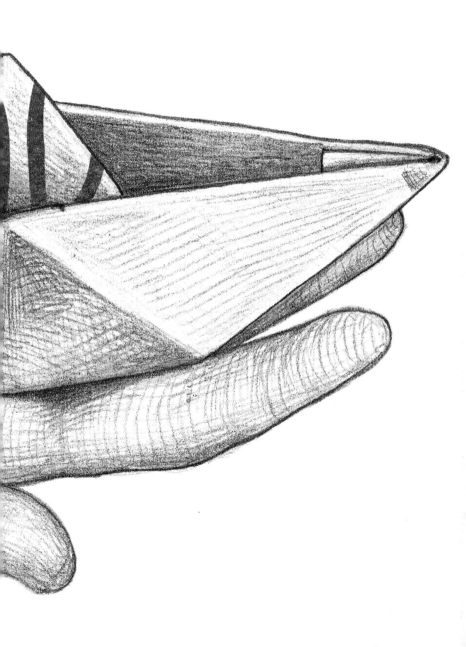

Estaba de espaldas a él, vestida con su falda favorita, y bailaba lentamente al son de la música mientras sujetaba de forma indolente un cigarrillo en la mano izquierda. Ben sintió que se le doblaban las rodillas y se apoyó en la puerta, que se abrió del todo con un chirrido.

Su madre se volvió y Ben contuvo una exclamación.

No era su madre.

Era su prima Janet. Se había puesto la ropa de su madre y fumaba uno de sus cigarrillos.

–¿Qué haces aquí? –exclamó, con los ojos muy abiertos por la sorpresa y la vergüenza.

–¿Qué haces tú aquí? –replicó Ben–. ¡Esta no es tu casa! ¡Esas cosas no son tuyas!

Era un estúpido: ¿cómo podía haber pensado, siquiera por un momento, que aquella era su madre? Se secó los ojos rápidamente para que Janet no notara las lágrimas.

El rostro de su prima había perdido el color.

–Sabía que no tenía que haber encendido la luz… Benji, yo…

–¿Tú fumas?

Janet miró el cigarrillo que tenía en la mano como si acabara de darse cuenta de que estaba allí y lo apagó rápidamente en un vaso.

–¡No! Bueno, sí –admitió–. Quiero decir que fumo a veces. Yo… Ay, por favor, no se lo digas a mis padres. ¡Me matarían!

–¿A qué has venido? No lo entiendo. ¿Por qué te has vestido con ropa de mi madre?

–Lo siento, Benji, lo siento mucho. Esto es... era mi secreto. Yo... –Janet se sentó en la cama, hundió la cara entre las manos y se puso a llorar.

Ben no sabía qué decir; de pronto, sentía lástima por ella. Janet siempre había sido amable con él. Después del funeral, le había encontrado escondido en el armario de su madre. En lugar de contárselo a nadie, se había sentado a su lado y los dos habían llorado juntos, abrazados, sin decir nada.

Janet alzó la vista, se ajustó la coleta y tomó aire.

–Benji, sé que esta es la habitación de tu madre. Lo que pasa es que... –se interrumpió, se llevó las manos a la nuca, desabrochó una cadena de la que colgaba un medallón de plata y la dejó en el joyero. Ben nunca había visto ese colgante, pero no le extrañó: su madre no solía llevar demasiadas joyas.

Había un bote de café sobre la cama. Janet lo abrió y se lo tendió a Ben.

–He encontrado esto. Pensé que querrías tenerlo.

El bote estaba lleno de dinero; debían de ser los ahorros para emergencias. Ben se lo devolvió a Janet.

–Hay un montón de dinero, Ben. Deberías guardarlo.

Ben negó con la cabeza. Janet dejó la lata sobre la cama y recogió su ropa.

–Voy... voy a cambiarme al baño –murmuró.

Cuando se marchó, Ben miró a su alrededor, aturdido. Estaba todo tal y como lo recordaba: el escritorio repleto de papeles; la cama, que todavía conservaba la huella de su madre; los montones de libros de la biblioteca en la mesilla de noche... Pensó que debería devolverlos: a ella no le habría gustado que le pusieran una multa por pasarse de fecha.

–¿Benji?

Dio un respingo.

–¿Estás bien?

Ben asintió, distraído. Janet se había puesto unos vaqueros cortos y una camiseta verde, y tenía el pelo suelto, remetido tras las orejas. Guardó los cigarrillos en un cajón de la cómoda y colgó en el armario la ropa que se había puesto. Volvió a cerrar el bote del dinero y lo dejó en el estante de arriba.

–Bueno, Ben. Vámonos a casa, anda.

–Yo ya estoy en casa.

–Sí, lo sé. Lo siento, solo quería decir que... Bueno, venga, vámonos.

–No.

–¿Qué?

–Yo me quedo.

–No creo que sea buena idea, Ben –protestó Janet con aire preocupado.

Él no se movió.

–Ben, estás empezando a asustarme –insistió Janet–. ¿No crees que...?

–No voy a contárselo a tus padres.

–¿Cómo?

–Que no voy a contarles a tus padres que te he visto fumando. Deja que me quede aquí un rato; volveré más tarde.

–¿Me lo prometes?

Ben asintió.

–¿De verdad no vas a chivarte, Ben?

–No.

Janet se estiró la camiseta.

–Entonces te debo un favor. Pídeme lo que quieras.

Se hizo un largo silencio.

–Todos la echamos de menos, ¿sabes? –dijo Janet al fin.

Ben asintió.

–No te quedes mucho rato, ¿vale? Va a haber tormenta.

Ben abrió el joyero y examinó el medallón de plata que se había puesto Janet. Su madre se llamaba Elaine Wilson, y en el medallón se veían las letras «EW» grabadas con trazos elegantes.

Era bonito. Ben no sabía de dónde lo habría sacado su madre ni por qué jamás se lo había puesto. Lo examinó: la parte delantera parecía una tapa. Ben intentó abrirla, pero estaba atascada. Echó un vistazo al espejo de la cómoda y se colgó el medallón al cuello. La suave superficie se deslizó sobre su pecho.

Janet había dejado abierta la puerta del armario, y Ben se acercó para aspirar el aroma familiar de la ropa de su madre.

De pequeño le gustaba esconderse allí, encaramado sobre los zapatos. Cuando su madre iba a acostarse, decía: «Ojalá estuviera aquí Ben para arroparme», o: «Qué pena que Ben no esté; podríamos leer juntos este libro tan bueno». Él aguantaba la respiración e intentaba no reírse. A veces, ella preguntaba: «Ben, ¿estás ahí?», y él contestaba: «¡No!». En el último momento, su madre siempre decía algo como: «¿Dónde estarán mis zapatillas?», abría el armario y fingía sorpresa cuando descubría a Ben en su interior. Hacía años que habían dejado de jugar a aquello.

Ben se sentó en el suelo del armario, apoyó la cabeza en las rodillas y se tapó el oído bueno con un dedo para no percibir el rumor del viento y la lluvia.

Recordó el bote de café que había en el estante, encima de su cabeza. Salió del armario, acercó una silla, se subió encima y lo alcanzó. Había un montón de dinero, tal vez cientos de dólares; no acababa de creerse que su madre hubiera ahorrado tanto. ¿Habría otros secretos escondidos en aquella habitación? ¿Y si sus tíos vendían la casa antes de encontrarlos?

Dejó el bote en su sitio y rebuscó entre los jerséis doblados. Nada. Se sentía incómodo registrando las cosas de su madre, pero no era capaz de parar. Bajó de la silla y abrió los cajones de la mesilla y la cómoda. Encontró un sinfín de facturas, impresos y artículos recortados de revistas. Había carpetas llenas de papeles de la biblioteca y documentos que Ben no entendía. Entonces, en el cajón inferior de la cómoda, vio un sobre acolchado. Lo sacó y le dio la vuelta: no tenía dirección ni sellos. Lo abrió con cuidado. Dentro había algo envuelto en papel de seda. El envoltorio no estaba pegado con celo, así que Ben lo retiró con cuidado y descubrió un librito azul con las cubiertas rugosas por el tiempo. El título estaba impreso en letras negras: *Maravillas.*

Fue pasando páginas. El libro trataba de la historia de los museos. En el reverso ponía: «Publicado por el Museo Americano de Historia Natural, Nueva York».

¿Sería un regalo para él? ¿Lo habría escondido su madre para darle una sorpresa?

Ben volvió al principio del libro: un niño había garabateado flores y hojas en los bordes de la primera página. En el centro había algo escrito en tinta roja con letra de adulto:

Para Danny.
Te quiere, M.

Ben se preguntó quién podría ser aquel Danny y quién sería M. La letra era anticuada; aquella inscripción podía tener más de un siglo. Tal vez su madre hubiera encontrado el libro en el mercadillo anual de la biblioteca o en la librería de viejo del pueblo. Fuera como fuera, ahora era suyo.

Se sentó en el borde de la cama y lo sujetó con cuidado. No había querido ni abrir un libro desde el accidente, pero ahora pasó un par de páginas y comenzó a leer.

En el año 1869, la ciudad de Nueva York aún no contaba con ningún museo de arte o de historia natural como los que podían encontrarse en Boston, Filadelfia, Chicago, Washington o cualquier capital europea. Theodore Roosevelt, de joven, montó un pequeño museo en el porche trasero de su casa, y ese mismo año su padre se hizo miembro de una asociación que promovía la creación de un Museo Americano de Historia Natural.

Ahora bien: es el momento de parar un momento para preguntarnos qué es exactamente un museo. ¿Es una colección de hojas secas y bellotas expuestas en el porche trasero de una casa? ¿Es un edificio gigantesco, valorado en millones de dólares y construido para albergar los objetos más peculiares y costosos del mundo?

–¡Es las dos cosas! –exclamó Ben involuntariamente.

Por supuesto, la respuesta es que puede ser ambas cosas. Un museo es una colección de objetos dispuestos de forma que nos cuenten una historia maravillosa.

Piensen en los innumerables ejemplos de conchas, piedras, huesos y joyas que se exhiben en los mayores museos del mundo. Esas piezas no salieron de la nada. Una persona, tal vez alguien como el joven Teddy Roosevelt, las coleccionó, las clasificó, las conservó y las dispuso en orden.

La lluvia producía un golpeteo sordo contra el techo y las ventanas. Ben siguió leyendo:

El trabajo de los museólogos es fundamental, puesto que primero han de seleccionar lo que formará parte de la colección y después deben decidir cómo mostrar las piezas ante el público. En cierto modo, todo el que colecciona objetos en su casa es un museólogo. Al elegir cómo organizar la muestra –qué cuadros

se deben colgar, en qué orden hay que colocar los libros...–,
está actuando del mismo modo que un museólogo profesional.

Ben se preguntó si él sería un museólogo. Nunca se había parado a pensar en la razón por la que coleccionaba objetos: sencillamente, era algo que había hecho siempre. Pensó en su caja de madera. ¿Sería una caja museo? Tal vez estuviera creando un museo sobre Gunflint Lake.

De pronto retumbó un trueno ensordecedor. Ben acarició el medallón con las yemas de los dedos y pasó algunas páginas.

Esas primeras colecciones, creadas hace siglos, se guardaban en muebles denominados «gabinetes de maravillas» o «de curiosidades». Aquellos armarios, tallados con primor, estaban cuajados de portezuelas, cajones y compartimentos secretos que albergaban una variedad casi infinita de piezas asombrosas. En ellos se podían encontrar desde piedras preciosas hasta cuernos de unicornio, marfiles exquisitamente labrados y copas mágicas que, supuestamente, neutralizaban todos los venenos. En aquellos gabinetes coexistían magníficas obras de arte con fenómenos creados por la naturaleza.

Algunas de aquellas colecciones crecieron hasta tomar posesión de habitaciones enteras; el espectador podía caminar por esos lugares y comprender la maravillosa esencia del universo «leyendo» las historias que narraban tanto las piezas expuestas como su disposición en la sala (ver fig. 26).

La figura veintiséis mostraba un antiguo grabado de una sala como la descrita en el libro. Las paredes quedaban ocultas tras grandes estanterías; a Ben le recordaron a las de la biblioteca de su madre, aunque estas eran mucho más elegantes. La estancia se encontraba atestada de objetos extraños, algunos de los cuales colgaban del techo. Había frascos de vidrio tallado, vitrinas llenas de conchas y huesos, hileras de pájaros, misteriosas criaturas marinas, cabezas humanas, caimanes, esculturas de formas extrañas y otros muchos objetos que Ben no reconocía.

En el centro de la sala había un mueble alto finamente tallado, con una corona de conchas y corales en la parte superior. Ben lo observó con asombro.

La intención era que el espectador se maravillara ante la visión de las piezas expuestas. Y de hecho, cualquiera que haya alzado la mirada para contemplar un esqueleto de dinosaurio, que haya visto un diamante gigante o se haya detenido ante algún prodigio de la naturaleza –como una flor carmesí brotando de las grietas de una acera, por ejemplo– conocerá esa sensación de maravilla.

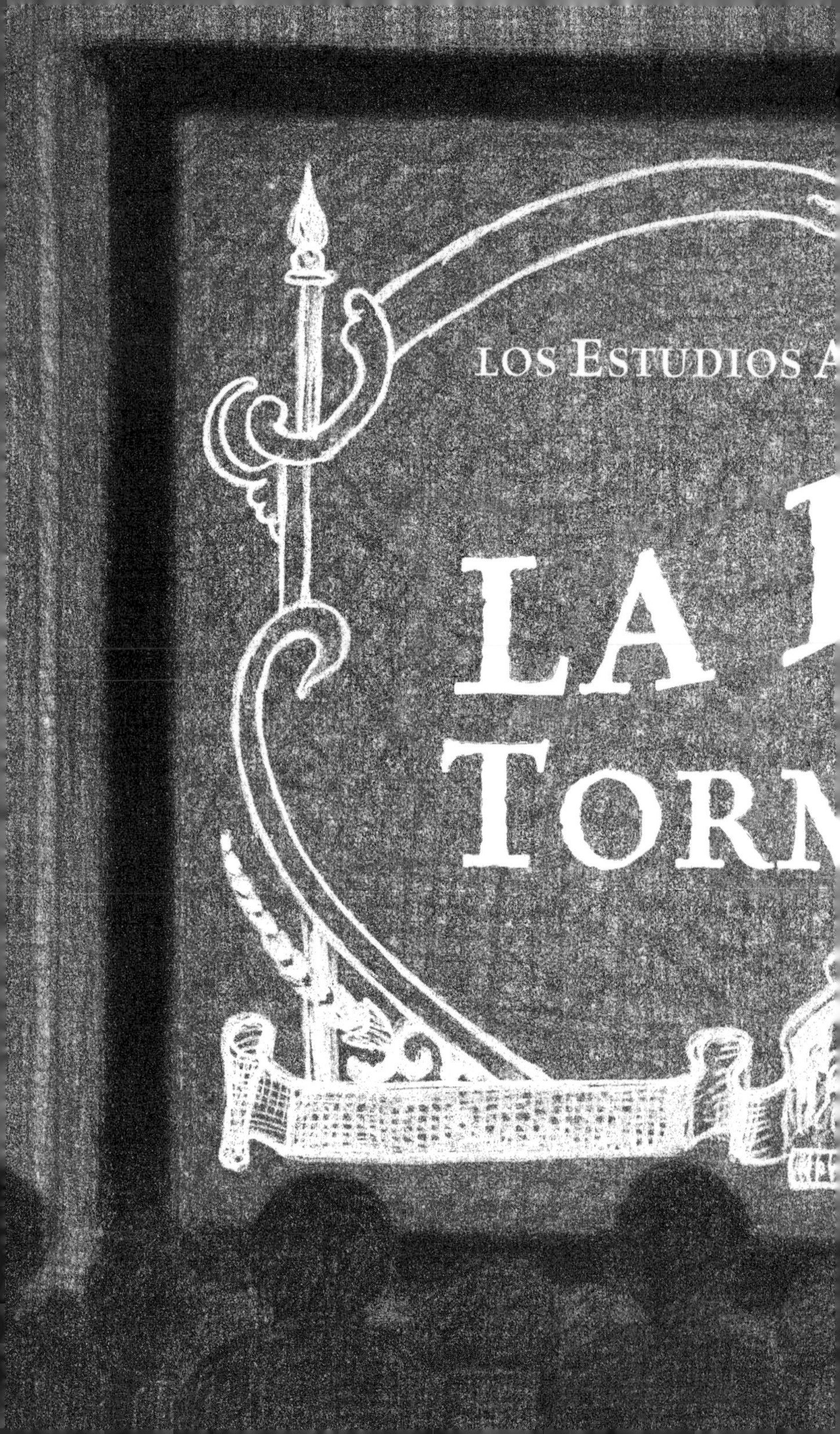
los Estudios A
LA
TORM

...AFT PRESENTAN

IJA

e la

ENTA

PROTAGO

Lib
May

ADA POR

an

HEW

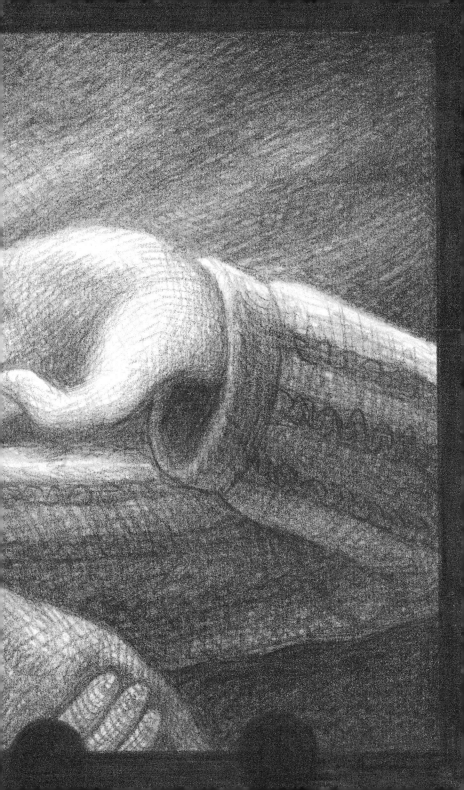

"¡Dios
¡Ha es
la torn

mío!
llado
nta!"

Un relámpago de un blanco cegador atravesó el cielo, y un segundo después estalló el trueno.

Las luces se apagaron.

Ben sintió una prisa repentina por volver a casa de sus tíos. Se guardó el libro en el bolsillo trasero del pantalón, sacó la linterna y se dirigió a la cocina.

No había ningún paraguas a la vista, así que descolgó del perchero un abrigo de su madre y se lo echó por encima para protegerse de la lluvia. Un nuevo rayo iluminó por un instante la habitación como el flash de una cámara. El trueno hizo temblar la casa, y Ben dio cuenta de que sería mejor esperar a que amainara la tormenta. Ochenta y tres pasos podían ser un trayecto muy largo en medio de un temporal como aquel.

Guardó el abrigo y regresó a la habitación. Se tumbó de espaldas en la cama sobre el hueco que había dejado su madre, se apoyó la linterna en el hombro para que apuntara hacia arriba, abrió el libro y lo sostuvo en alto. Cuando estaba a punto de reanudar la lectura, algo cayó lentamente hasta aterrizar en su pecho. Era un marcapáginas.

Ben se sentó y lo observó con atención. Tenía los bordes desgastados. En la parte superior había un dibujo en blanco y negro de una tienda llena de libros: estaban apilados en el escaparate, metidos en cajas y expuestos en estanterías por la acera. Un gato negro descansaba con aire indiferente frente a la puerta. En los toldos había un rótulo: «Kincaid Books». La dirección y el teléfono de la tienda estaban impresos en la parte inferior. Ben le dio la vuelta al marcapáginas y vio algo escrito en tinta negra:

Febrero de 1965. Elaine, te entrego esta parte de mí.
Por favor, escribe o llámame. Te estaré esperando.
Te quiero. Danny.

Debajo había un número de teléfono y una dirección de Nueva York.

"¿Dónde
hallar

odremos
obijo?"

La madre de Ben nunca había tenido novio. Salía con algunos amigos de las casas del lago y del pueblo; a veces volvía tarde y no le contaba a Ben dónde había estado, pero jamás había llevado a nadie a casa. Que Ben supiera, no había nadie más que el comandante Tom, y eso era solo una fantasía.

Se quedó mirando la fecha del marcapáginas. Era el año en que él había nacido.

Todo comenzó a cobrar sentido. Su madre había conocido a un hombre llamado Danny el año en que había nacido él, y ese hombre había escrito «Te quiero». ¿Sería el novio de su madre? Y si era su novio, ¿podría ser el padre de Ben? Tenía que preguntarle a su tía por la mañana si sabía algo.

Ben volvió a mirar la dirección, acariciando la posibilidad de que su padre viviera en Nueva York, y de pronto recordó el dinero para imprevistos.

Se acarició la frente mientras dejaba volar la imaginación. Tal vez su madre tuviera en mente algo mucho mayor que una excursión a Duluth. ¿Y si quería llevarlo a Nueva York para presentarle a su padre?

Ben se dio cuenta de que llevaba un rato sin respirar. ¿En qué estaba pensando? Aunque aquel Danny hubiera sido novio de su madre, no tenía ninguna prueba de que se tratara de su padre. Se colgó de nuevo la cadena y pasó la uña por el borde del medallón en un gesto inconsciente. Para su sorpresa, el colgante se abrió con un chasquido.

Ben miró el interior, esperando encontrar una foto pequeña de su madre, y se sorprendió al ver una imagen en blanco y negro de un hombre. Tenía bigote y patillas, y unos ojos oscuros que le resultaron extrañamente familiares. Una esquina de la foto se había salido de su enganche; Ben tiró de ella y la sacó con mucho cuidado. En la parte de atrás había una sola palabra: «Daniel».

Ben le dio la vuelta con manos temblorosas y la volvió a colocar dentro del medallón. Contempló los ojos de Daniel: ya sabía por qué le resultaban conocidos. Eran iguales a los suyos.

¡Aquello sí que era una prueba!

Su padre no era el comandante Tom, perdido para siempre entre las estrellas. Su padre se llamaba Daniel y vivía en Nueva York.

Ben agarró el marcapáginas y contempló el número de teléfono.

Solo tenía que llamarle.

Se acercó hacia el teléfono azul que había en la mesilla de noche, releyendo el número una y otra vez.

La tormenta había cobrado más fuerza.

Todavía tembloroso, Ben levantó el auricular y lo sostuvo contra su oído bueno.

Vaciló un momento y después marcó el número. Mientras esperaba, guardó el marcapáginas en el libro. El teléfono ya daba señal.

The

UNA PRODUCCIÓN D

End

ONIDO
NUEVO
PARLANTE"
WORLD
ELECTRIC
SONORIZACION
PODRAN OIR LAS PELICULAS
CERRADO

CERRADO

RRADO
por la
instalación
del

PRIMER
sistema de
sonido
HOBOKEN

Experimente
el cine 100% sonoro
VEA Y OIGA
sus películas

Expe

el cine 1(

VEA Y

sus pe

mente

% sonoro

OIGA

ículas

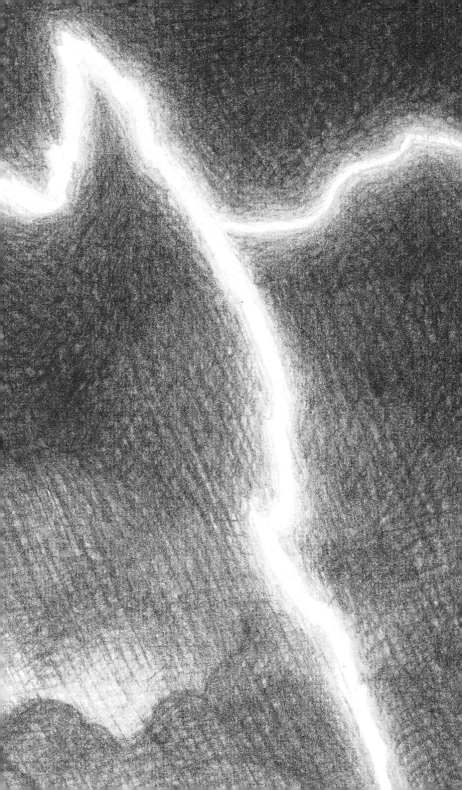

Ben abrió los ojos y se encontró tendido boca arriba en el suelo.

Olía mal, como a quemado. Por suerte, la lluvia había cesado y todo estaba silencioso. Ahora podría volver a casa de sus tíos. Quiso ponerse de pie, pero estaba tremendamente cansado; la cama, la mesilla de noche y la cómoda parecían encontrarse muy lejos, como si las mirara por un telescopio colocado del revés.

A lo lejos divisó el teléfono azul: estaba descolgado, y parecía... ¿arder? Ben miró por la ventana y vio algo imposible: la lluvia seguía golpeando los cristales sin hacer ningún ruido. Estalló un relámpago, pero no hubo trueno.

«Qué extraño», pensó Ben. La tormenta no había amainado, pero ahora la lluvia era silenciosa. Antes sonaba tan fuerte... ¿Por qué no hacía ruido ya?

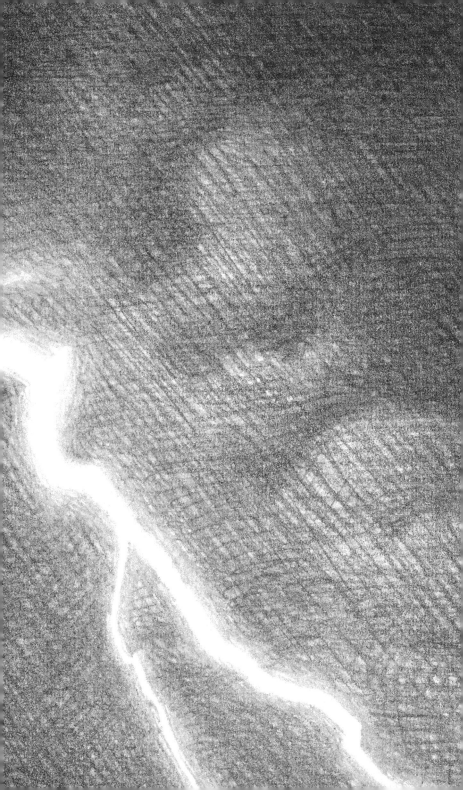

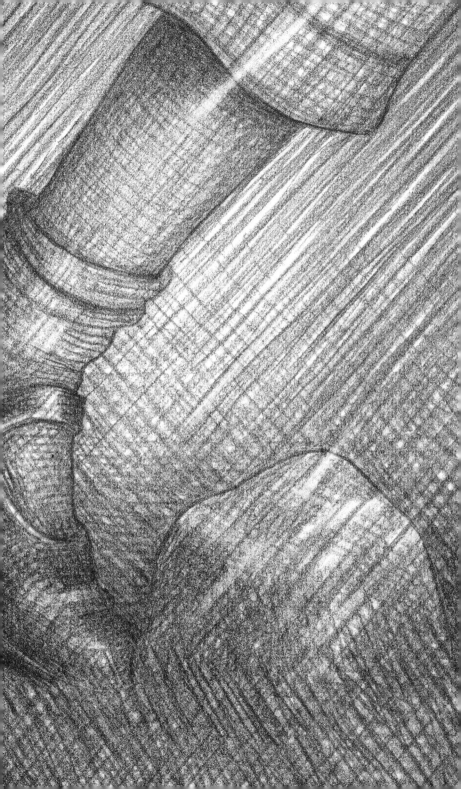

Ben intentó gritar para pedir ayuda, pero no pudo emitir ningún sonido.

Miró a su alrededor: la habitación de su madre se había vuelto fría y blanca. En el techo brillaba una luz deslumbrante. Estaba rodeado de máquinas y tubos. Aquella no era la habitación de su madre.

Apareció una mujer vestida de blanco, con un gorrito y un estetoscopio colgado al cuello. En su tarjeta de identificación ponía «Linda». Sus ojos eran amables.

¿Una enfermera? ¿Para qué necesitaba una enfermera? ¿Estaba en el hospital? ¿Cómo había llegado hasta allí?

Ben se quedó mirando la boca de Linda, que se movía pero no decía nada. ¿Por qué no hablaba? Intentó levantarse para ir al baño, pero Linda le retuvo. Sus labios se movieron de nuevo y se llevó un dedo a la boca como si quisiera pedirle silencio.

Ben quiso gritarle que hablara, que le explicara por qué se encontraba allí, pero estaba agotado y le dolía la cabeza. Se dejó acomodar sobre la almohada y cerró los ojos. Tal vez hubiera gritado, porque apareció otra enfermera y le dio un medicamento. Linda acercó las manos a su oído bueno y dio una palmada. «¿Por qué no oigo nada?», se preguntó Ben. Linda sacó un papel y escribió algo.

A Ben le pesaban los párpados, así que cerró los ojos; tal vez estuviera soñando.

Cuando su tía Jenny apareció, Ben no supo si habían pasado varios días o unos minutos. Jenny tenía los ojos rojos, llorosos. Se sentó en la cama y le acarició el pelo; luego le pasó los dedos por las mejillas como hacía siempre la madre de Ben, y él percibió el aroma de lo que había estado cocinando en el hotel. Vio cómo ella y las enfermeras movían los labios. Le parecía tener la cabeza llena de algodón. Abrió la boca para decir que no oía nada, pero no surgió ningún sonido.

La enfermera le entregó a su tía una hoja de papel y un bolígrafo. Jenny escribió una nota y se la tendió a Ben.

Sé que no puedes oír. No intentes hablar. Descansa.

Le palpitaba la cabeza. ¿Cómo había averiguado lo que estaba pensando?

Has tenido un accidente, pero te pondrás bien. Te cayó un rayo.

La tía Jenny tachó dos palabras y siguió escribiendo:

Te cayó un rayo cayó en tu casa y pasó por los cables hasta el auricular del teléfono mientras tú lo tenías en la oreja.

Ben se frotó su oído bueno, o al menos, el que antes era su oído bueno. ¿Le había caído un rayo? ¿Para qué había ido a su casa?

¿Y por qué estaba hablando por teléfono? Intentó recordar algo, pero lo único que le vino a la memoria fue un medallón de plata. Se llevó la mano al cuello de forma automática: no lo llevaba puesto.

Janet te encontró esta mañana en la habitación de tu madre. Lo siento mucho, Ben. Has pasado por tanto...

Ben intentó incorporarse y decirle algo, pero su tía le empujó con delicadeza y le apartó el pelo de los ojos. Se sonó la nariz y continuó escribiendo.

Los médicos quieren hacerte más pruebas. Mañana te llevaremos al hospital infantil de Duluth.

¿Duluth? ¿Iba a ir a Duluth? ¿No había querido ir allí hacía tiempo?

Miró a su tía y le vino a la mente la imagen de una alegre cortina amarilla. Entonces aparecieron la tortuga de conchas y un librito azul, y después las imágenes se volvieron borrosas.

Le dolía tanto la cabeza que tuvo que volver a cerrar los ojos. Debió de gritar, porque las enfermeras le dieron una pastilla y le ajustaron la vía intravenosa.

Poco a poco, el dolor comenzó a desvanecerse hasta que el silencio se lo tragó entero.

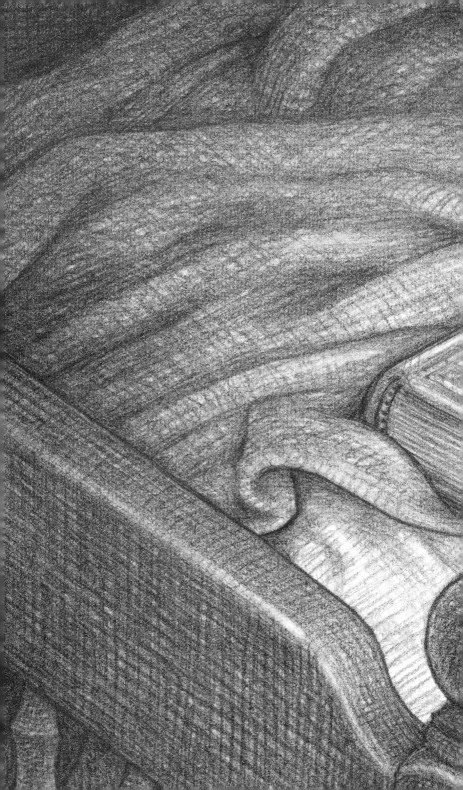

MANUAL
de
LECTURA DE LABIOS
Y HABLA
PARA SORDOS

Dr. T. M. McGill

Tu comportamiento

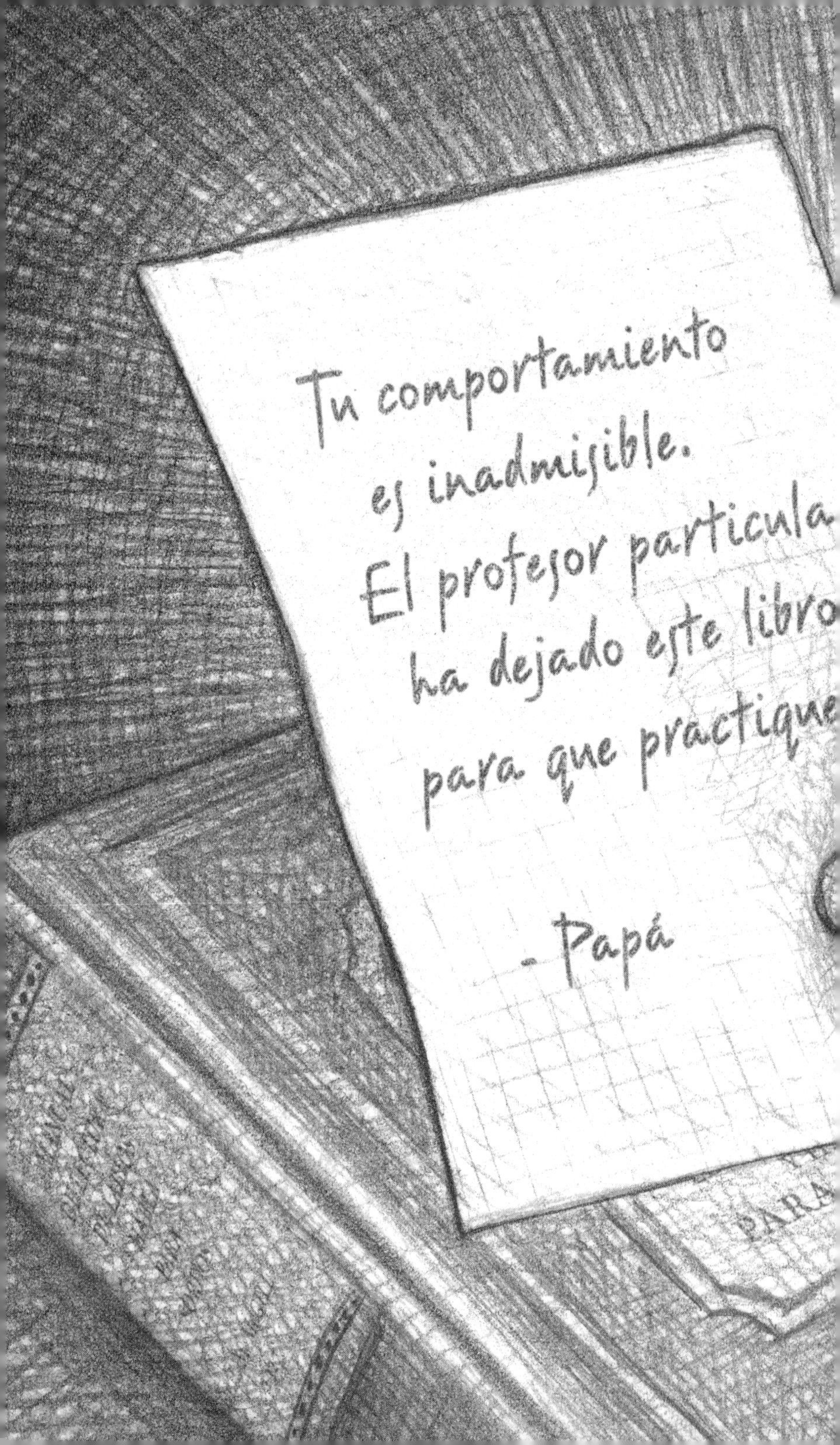
Tu comportamiento
es inadmisible.
El profesor particula
ha dejado este libro
para que practique
- Papá
PARA

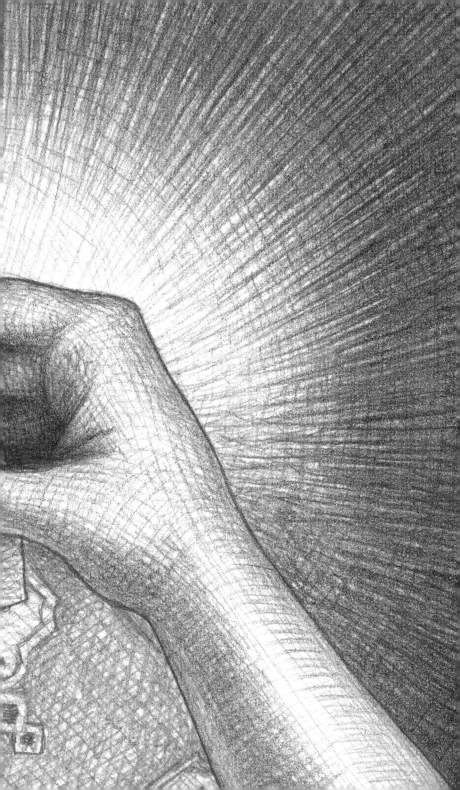

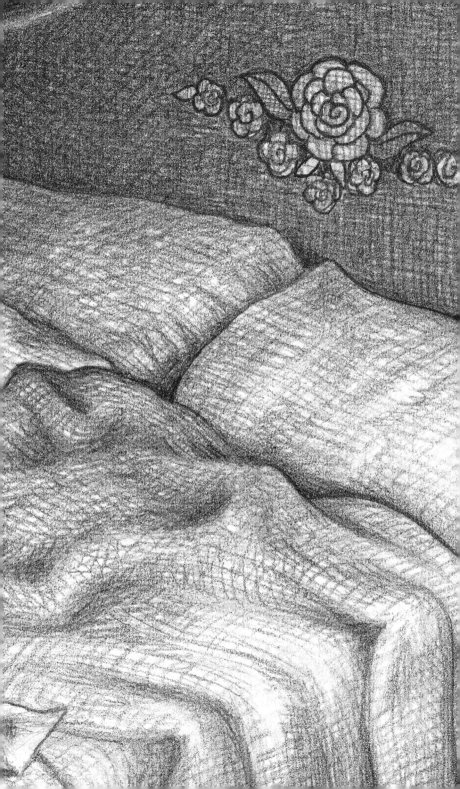

MANUAL DE LECTURA DE LABIOS Y HABLA PARA SORDOS

INTRODUCCIÓN

El presente manual expone los mejores métodos para enseñar a comunicarse a los niños sordos. Debemos recordar que el habla permite a los niños conectar con el mundo que los rodea. Si una persona sorda no sabe leer los labios ni hablar, solo dispondrá de una conexión con el mundo: la escritura. Cuanto mejor pueda hablar un niño sordo, más amplio será su círculo de amistades.

Los sordomudos que no reciben educación son el vivo ejemplo de una mente aprisionada. Estas personas nunca llegan a conocer el profundo poder de la voz humana. Sin embargo, si se esfuerzan, pueden llegar a comunicarse con el mundo de los hablantes. La propia Hellen Keller afirmó que el proceso por el que aprendió a hablar y leer los labios la llevó desde el aislamiento hasta «la amistad, la camaradería [y] el conocimiento».

Empecemos, pues, nuestro trabajo.

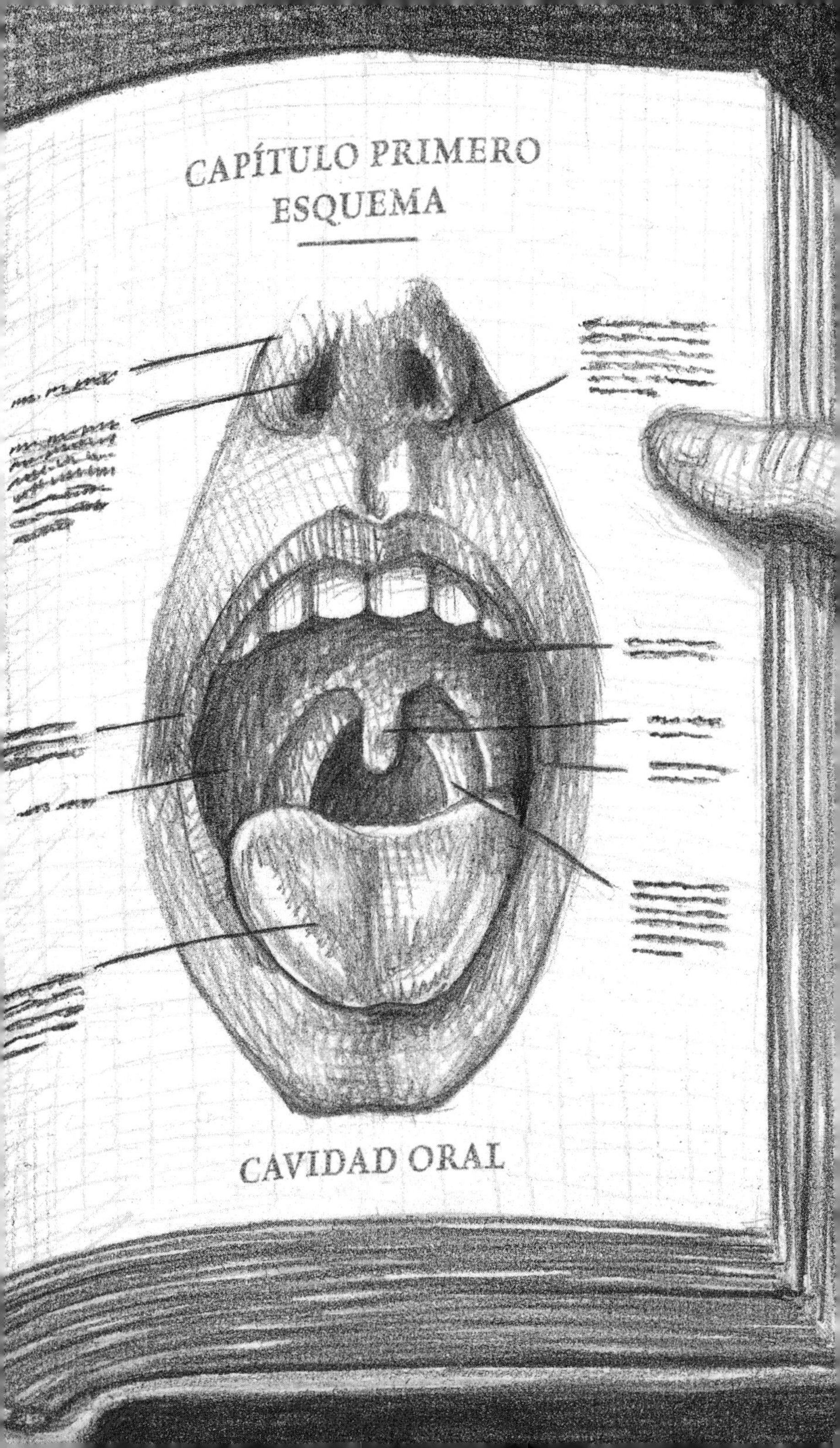

CAPÍTULO PRIMERO
ESQUEMA

CAVIDAD ORAL

Ben escuchó con atención: el silbido del viento, el entrechocar de las barcas en el agua, el canto de los pájaros, el crujido de sus pasos sobre la nieve, un rumor distante de voces humanas... Su vida salía a la superficie en fragmentos que volvían a hundirse al instante. Se esforzó por mantener la cabeza fuera del agua.

Floto de una forma muy extraña. Las estrellas hoy parecen diferentes.

Una sala llena de estanterías decoradas y de objetos extraños apareció alrededor de él. Teddy Roosevelt saludaba con la mano desde el porche. La cama de su madre esperaba a su lado, y Ben se acurrucó en la huella que había dejado su cuerpo. Un marcapáginas flotó en el aire y aterrizó sobre su pecho. El humo de un cigarrillo salió por la rendija de una puerta. Un aullido sonó mientas la cama se elevaba y echaba a volar. Ben era un extraterrestre que rodeaba la estrella Polar mientras el comandante Tom le despedía con la mano.

Porque me encuentro en un trasto de hojalata, muy lejos del mundo.

Y allí abajo, a un millón de kilómetros, vio un lobo.

Era hermoso.

Y peligroso.

Y corría por las calles de Nueva York.

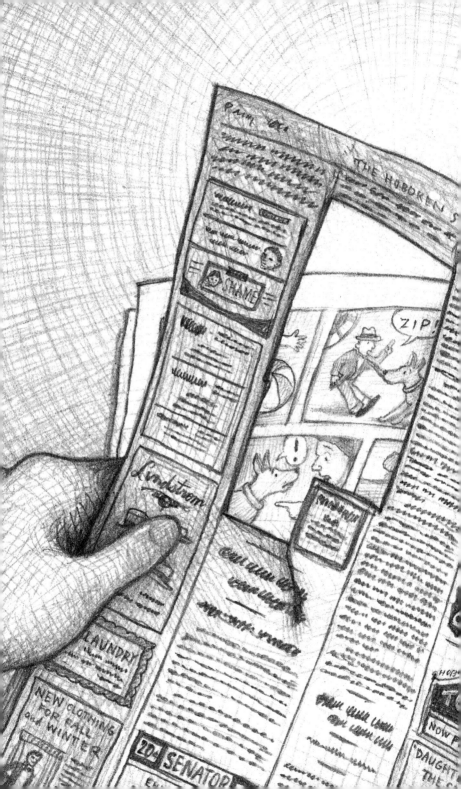

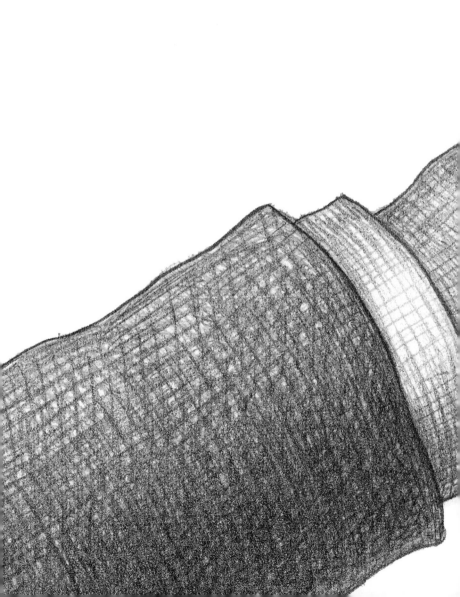

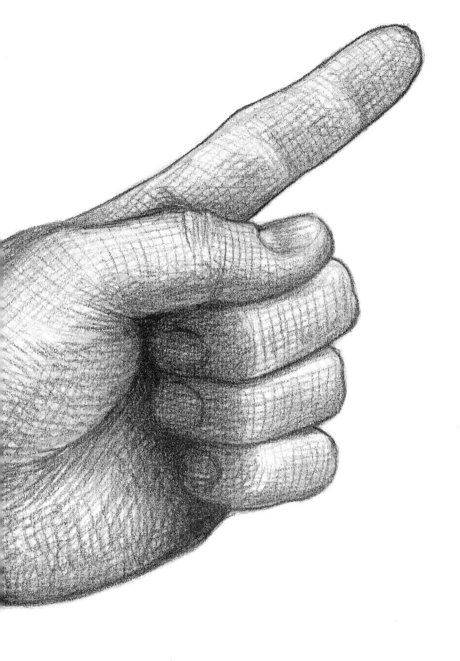

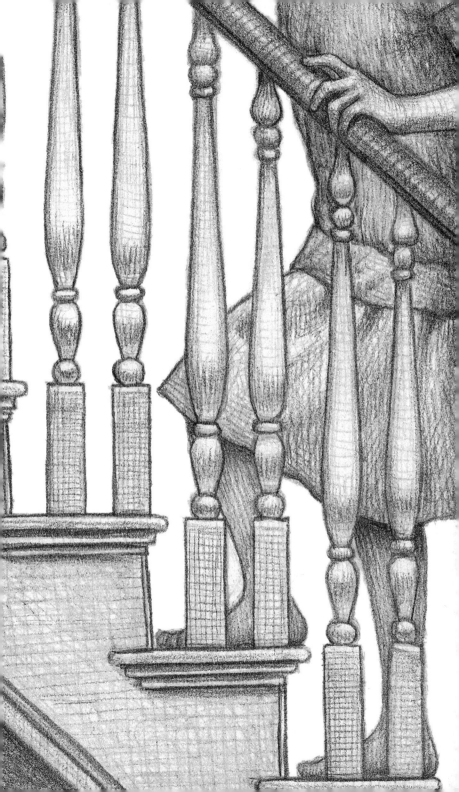

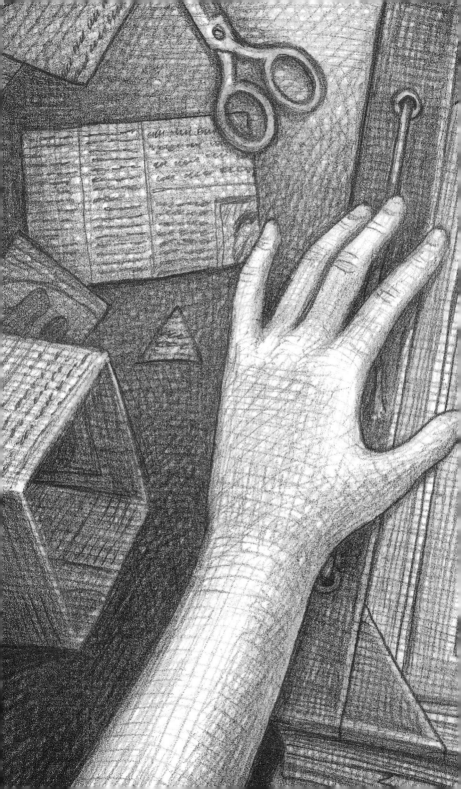

L. MAYHEW
RESPLANDECE

L. MAYHEW
SE SINCERA

TICKET

LILLIAN MAYHEW
EN *ANTÍGONA*

LIAN MAYHEW
...METIDA

LILLIAN MAYHEW
SE CASA CON UN MÉDICO

W ———————————— ———————————
———————————————— ———————————
———————————————— ———————————
———————————————— ———————————
———————————————— ———————————
———————————————— ———————————
————————————————
————————————————

Lillian Mayhew

PROTAGONIZA

CARTAS DE AMOR

L. MAYHEW ACTUARÁ EN LOS ESCENARIOS DE NY

LA FAMOSA ESTRELLA BRILLA DE NUEVO

Miss Lillian Mayhew

¿UNA ACTRIZ EN DECADENCIA?

SEGUNDA PARTE

Ben notó el tacto cálido de un cuerpo contra su mejilla. Abrió los ojos y descubrió que había apoyado la cabeza en el joven alto que dormía en el asiento de al lado.

El autobús renqueó y se bamboleó. A Ben le daba la impresión de llevar meses en la carretera, pero no podían haber pasado más de un día o dos.

Apretó con las rodillas la maleta que reposaba a sus pies. Los cierres estaban medio rotos, pero había conseguido cerrarla. Tenía hambre y la cabeza le retumbaba; no había dejado de hacerlo desde lo del rayo, hacía dos semanas.

Mientras el paisaje se aceleraba tras la sucia ventanilla del autobús, Ben frotó el medallón con las yemas de los dedos.

Se alegraba de llevarlo puesto de nuevo. Tiró de la delgada cadena a un lado y a otro, mientras deseaba haber dejado una nota para su tía.

No quería volver a dormirse, pero pronto empezó a soñar que los lobos le perseguían por la carretera de Gunflint Lake. Cuando se despertó, jadeaba como si hubiera corrido kilómetros. Le dolía la cabeza.

El autobús ya no se movía. El joven que estaba sentado a su lado se había ido, igual que todos los demás. A su alrededor reinaba una extraña tranquilidad, como si el tiempo se hubiera detenido.

Ben apretó la cara contra la ventana y, por un momento, pensó que tal vez siguiera soñando.

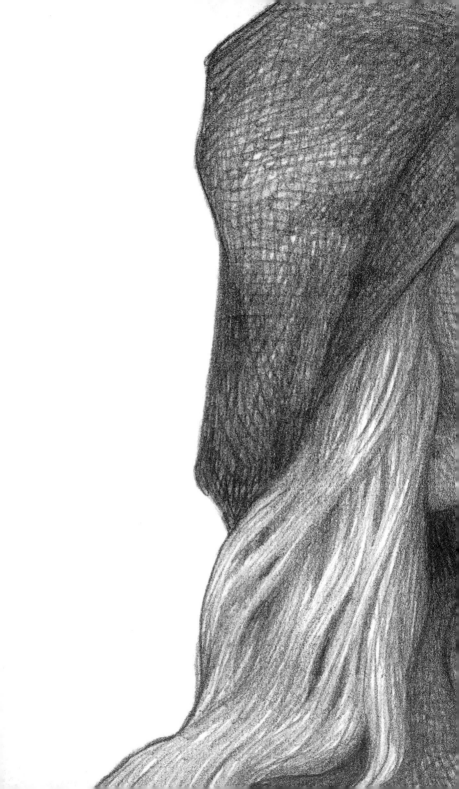

¿De verdad estaba allí? Con la maleta a cuestas, bajó del autobús y se internó en el aire cálido y viciado de la estación. El suelo parecía oscilar bajo sus pies como el fondo de una canoa. ¿Cuánto tiempo había dormido en el autobús parado?

Según el reloj de la pared, eran las nueve y media. No había ventanas en la estación, así que Ben no sabía si eran las nueve y media de la mañana o de la noche.

Siguió a la multitud por salas inmensas, pintadas de gris y rojo e iluminadas con fluorescentes. Muchas luces estaban fundidas o parpadeaban, y mirarlas le hacía daño en los ojos. Los sucios suelos se extendían hasta perderse de vista. Junto a las paredes había decenas de personas andrajosas, acurrucadas sobre cartones. Todo estaba en silencio.

Entonces Ben recordó que era él quien no oía nada. Según los médicos, era posible que recuperara la audición; le habían hecho un montón de pruebas y habían descubierto que el rayo le había dañado el tímpano. Ben contempló las silenciosas pisadas de la gente y alzó la mirada hacia sus bocas mudas. ¿Qué sería de su vida si no volvía a oír jamás?

Dejándose llevar por la gente, dobló esquinas y bajó escaleras mecánicas hasta llegar a unas puertas de vidrio por las que se asomaba la luz brillante de la mañana.

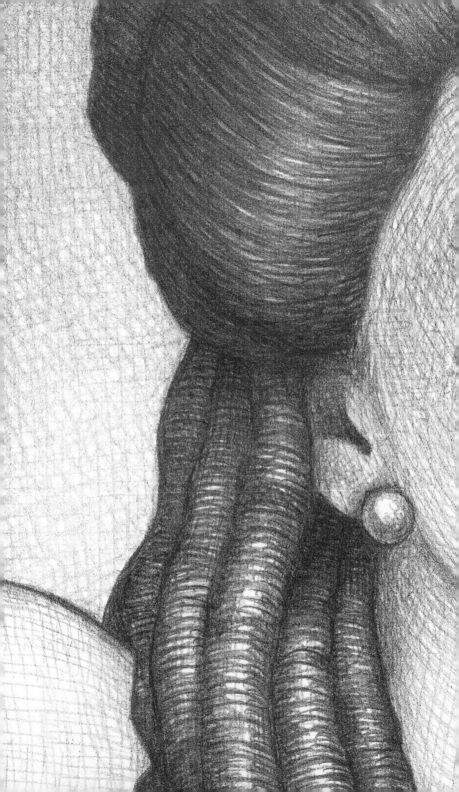

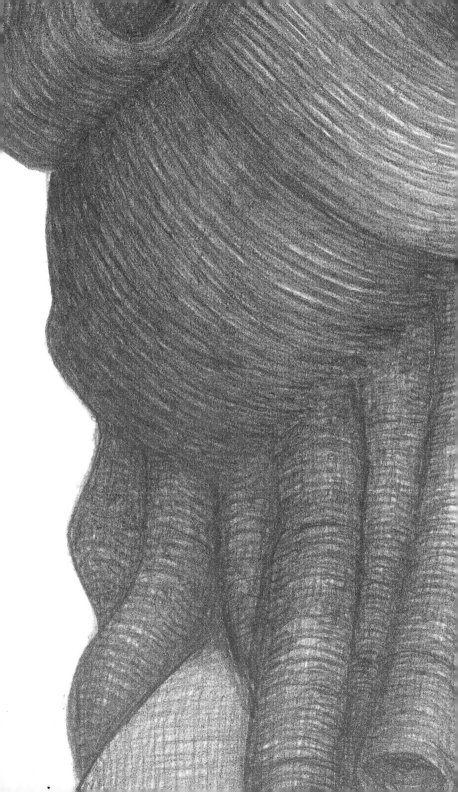

La calle era un caos de coches, anuncios luminosos y personas. A los lados, los edificios ascendían hacia el cielo como los árboles del lago. Un río de coches sucios y taxis amarillos corría ante él.

A Ben le asaltaron decenas de olores que no era capaz de reconocer.

En las aceras, los periódicos parecían gritar sus titulares: «¡Ola de calor!», «¡Asesino!», «¡Escándalo!», «¡Secuestro!»... Las pintadas cubrían muros descuidados y ventanas rotas. A cada poco, una hilera de marquesinas anunciaba películas de las que Ben nunca había oído hablar.

Miró a su alrededor, anonadado: con todos aquellos colores, olores y movimientos, se sentía como si cayera por un precipicio. Jamás había visto tanta gente junta en Gunflint Lake.

Personas con la piel de todos los colores se arremolinaban a su alrededor, como si la cubierta de su libro de sociales hubiera cobrado vida de repente.

Vio un hombre tirado en la acera, vestido con una andrajosa chaqueta militar y unos pantalones destrozados. Tenía los ojos cerrados. Un perrillo flaco se acurrucaba a sus pies, y al lado había una lata con algunas monedas. Ben se metió la mano en el bolsillo, se agachó y echó toda la calderilla que tenía. La ciudad parecía dar vueltas y explotar a su alrededor; aunque Ben estaba convencido de que debía de ser el lugar más estruendoso del mundo, el hombre y su perro dormían tranquilamente.

Intentó imaginar las bocinas, los gritos y los chirridos, pero todo estaba silencioso, como una película a la que le hubieran quitado el sonido. Dentro de la cabeza de Ben solo sonaba David Bowie cantando sobre el comandante Tom.

En las grietas de la acera había cordones de zapatos, botones y piedrecillas. Ben se agachó a recoger un recuerdo para su caja museo, y una mujer vestida con unos pantalones muy cortos que iba patinando tropezó con él y se le cayó encima.

Cuando consiguió ponerse de pie, guardó la piedra que había recogido y se acercó a un puesto de perritos calientes que había en la esquina de la calle Cuarenta y Dos con la Octava Avenida. No tenía más monedas, así que se colocó el maletín entre las piernas y sacó el dinero del bolsillo de atrás. Mientras contaba los billetes, una mano apareció sobre su hombro.

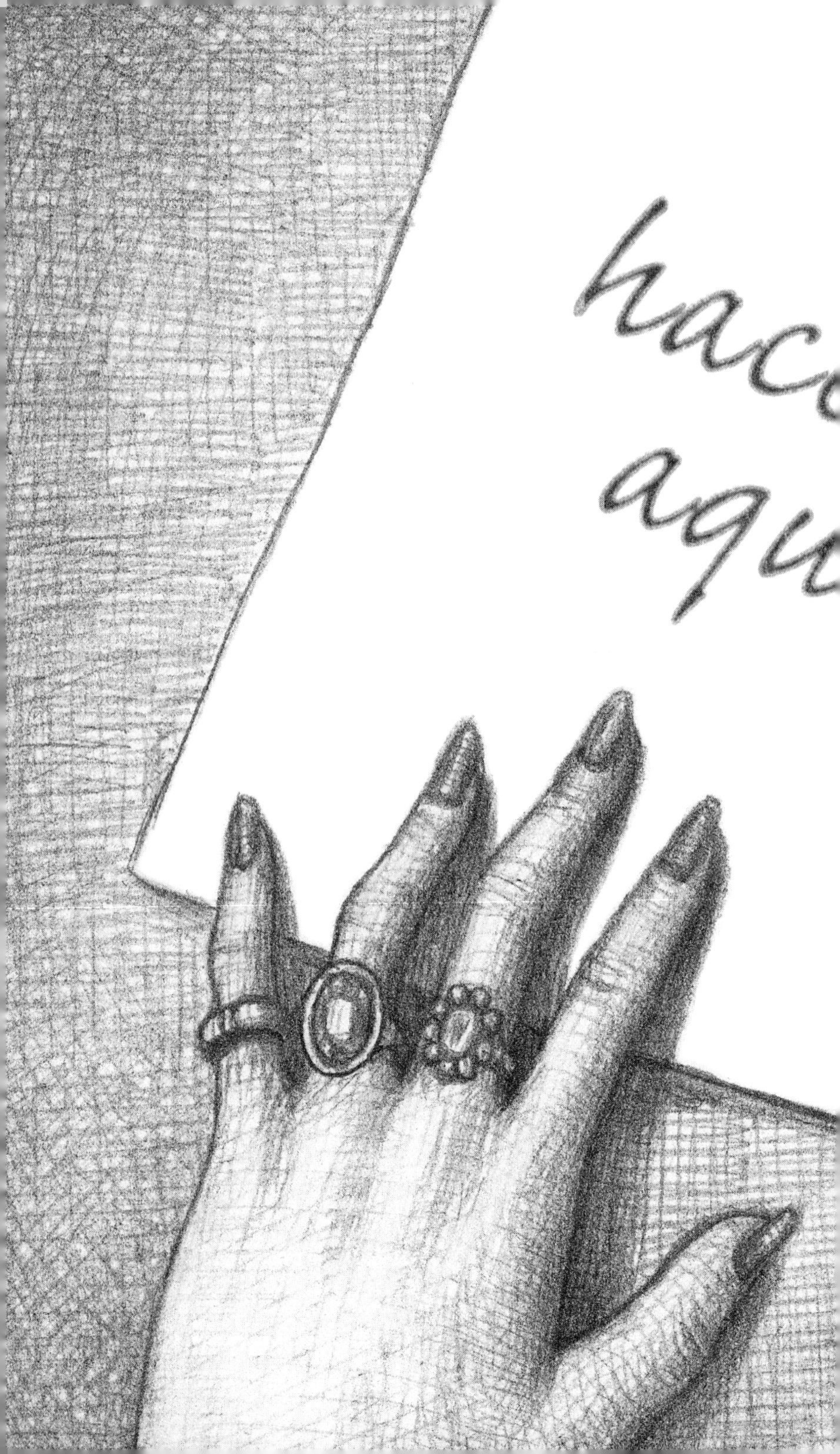
hac
aqu

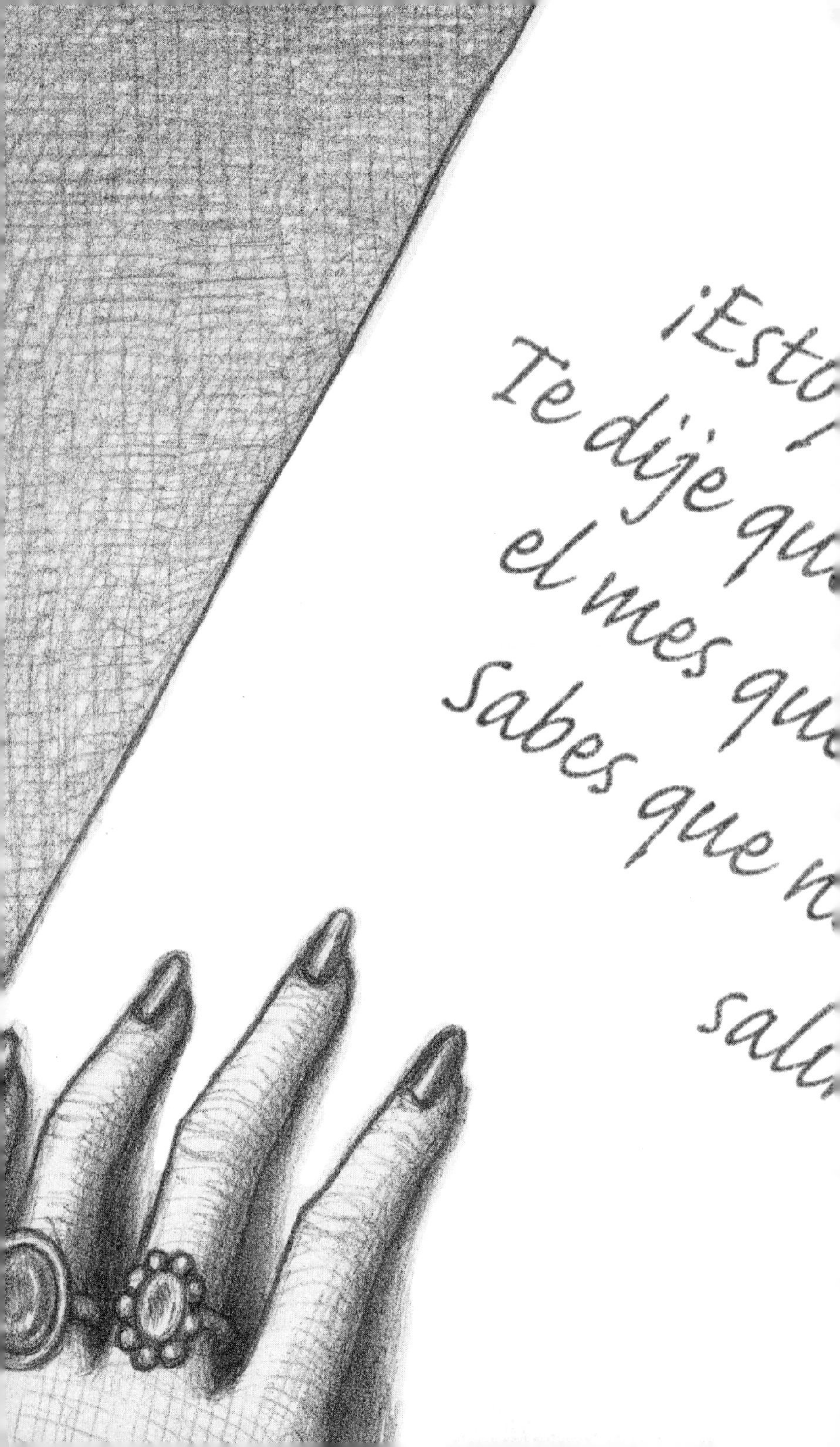

¡Esto
Te dije que
el mes que
sabes que no

salí

Por

no me

de

favor,

mandes

vuelta

¡Ya hem...
de esto!
Una chica sord...
ir sola por la cal...
¡Te podrían atropell...
o secuestrarte!

¡Eso le

a cual

puede pasar

¡quiera!

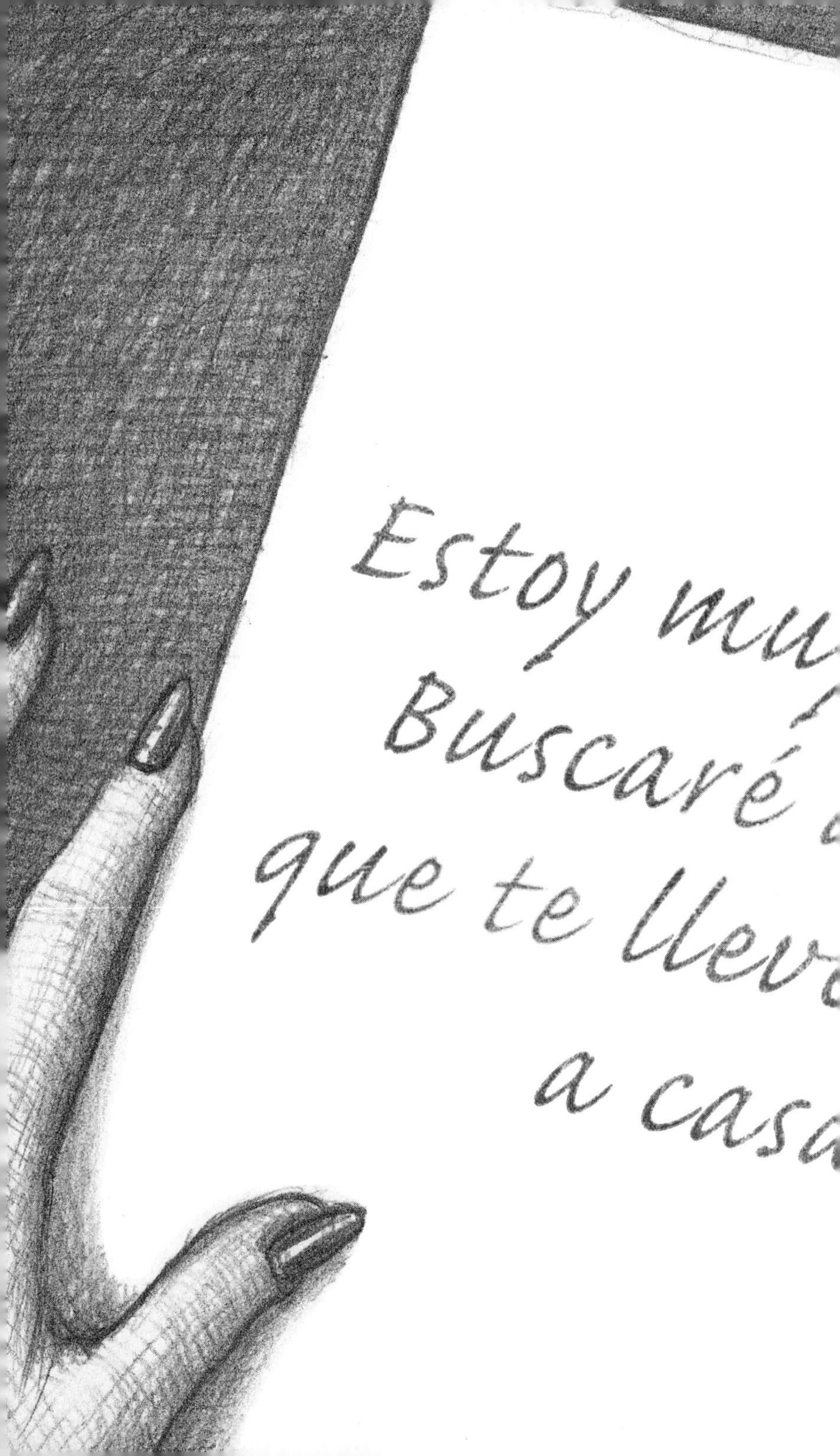

Estoy muy
Buscaré
que te lleve

a casa

Ben se vio de nuevo en el suelo, y al alzar la vista distinguió una figura con pantalón de chándal violeta y camiseta blanca que se escabullía entre la multitud. Se miró las manos vacías y se sintió estúpido por haberse puesto a contar dinero en mitad de la calle. Había leído libros sobre Nueva York, y conocía la ciudad por la televisión y las películas; sabía bien lo peligroso que podía ser aquel lugar.

Se incorporó y se sacó el marcapáginas del bolsillo. Releyó la dirección de su padre, levantó la vista y estrechó los ojos: allí delante estaba la calle Cuarenta y Tres. Caminó hacia ella por la Octava Avenida. Era una suerte que las calles estuvieran numeradas: así le sería fácil llegar a la Setenta y Cuatro.

Estaba a mitad de camino cuando un taxi apareció de la nada y le rozó la pierna. Una mano le agarró de la camiseta y le devolvió a la seguridad de la acera. Ben miró hacia arriba y vio a una mujer; tenía la cabeza envuelta en un pañuelo azul que apenas cubría sus rulos de color rosa. La mujer movió los labios y agitó un dedo frente a su cara. Desconcertado, Ben continuó andando y pronto llegó a una rotonda descomunal.

Miró en todas direcciones para situarse y se sintió mareado. ¿Hacia dónde tenía que ir? Abordó a una mujer que paseaba un perro gordo y marrón, le enseñó el marcapáginas y señaló la dirección de su padre. La mujer se detuvo lo justo para leerla, dijo algo y gesticuló en dirección a una calle que bordeaba un enorme parque. Ben se lanzó a la calzada, esquivó los coches y pronto se encontró caminando bajo las ramas verdes que se mecían sobre el muro del parque. Había menos gente en aquella acera que en la estación de autobuses, pero seguía estando muy concurrida en comparación con Gunflint Lake.

Por fin llegó a la calle Setenta y Cuatro. La numeración arrancaba justo allí, así que Ben no tuvo dudas: giró a la izquierda y caminó frente a una larga hilera de edificios de color tostado, todos con escaleras que conducían a la puerta de la segunda planta. Un mugriento gato blanco cruzó la acera y se escabulló entre un montón de bolsas de basura. Ben volvió a comprobar la dirección del marcapáginas, levantó la vista y vio que se encontraba delante de la casa de su padre.

Subió las escaleras, con el corazón desbocado, y estudió la placa donde estaban los timbres. Al lado de cada botón había un pedazo de papel con un nombre escrito, pero la mayoría estaban destrozados y resultaban ilegibles.

Dejó la maleta en el suelo, se secó el sudor de la frente y releyó la dirección antes de guardarse el marcapáginas en el bolsillo. Luego posó el dedo en el botón del tercero B y apretó sin saber si estaba sonando, mientras con la otra mano acariciaba la lisa superficie del medallón.

Al cabo de unos minutos, una mujer baja vestida con un camisón azul abrió la puerta. Tenía el pelo gris; su piel morena estaba perlada por el sudor, y no parecía muy contenta. Ya estaba hablando cuando abrió. Ben se limitó a mirarle la boca.

–Busco a Daniel –la interrumpió; aún no se había acostumbrado a hablar sin oír su voz–. Es mi padre.

Abrió el medallón y le enseñó la fotografía a la mujer, que la observó y luego estudió la cara de Ben. Una expresión de disgusto atravesó su rostro y se puso de nuevo a hablar, gesticulando para resaltar algún detalle. Ben no tenía ni idea de qué trataba de decirle.

Cuando estaba en el hospital, su familia y las enfermeras se comunicaban con él mediante notas. Sin embargo, mientras escribían no dejaban de hablar; al cabo de unos días, Ben se había dado cuenta de que, para entender lo que decían, tenía que suponer gran parte de la conversación.

Cerró el medallón, se lo guardó bajo la camisa y probó con otra pregunta.

–¿Vive Daniel en el tercero B?

La respuesta esta vez fue muy clara: no.

Sintió que le abandonaban las fuerzas. ¿Cómo no se le había ocurrido que tal vez su padre se hubiera ido de allí?

–¿Sabe dónde vive ahora? –preguntó desesperado.

La mujer soltó una carcajada y dijo algo más, y Ben se dio cuenta de que no conocía a Daniel. Continuó mirándole la boca y creyó reconocer la palabra «madre» en sus labios. ¿Le habría preguntado dónde estaba su madre?

Ben señaló un gran coche blanco que estaba aparcado enfrente, con una mujer sentada al volante.

–Esa es mi madre –dijo.

La mujer se rio y comentó algo; Ben estaba seguro de que no había sido un cumplido. Después le cerró la puerta en las narices.

Las lágrimas le picaron en los ojos; de pronto, todo parecía haberse vuelto del revés.

¡Qué estúpido había sido al suponer que todo sería sencillo!

Se sentó en el último escalón y enterró la cabeza entre las manos.

Unos minutos después, abrió el medallón y examinó los ojos oscuros de su padre. «¿Dónde estás?», le preguntó en silencio. «¿Qué hago ahora?». Ni siquiera sabía cómo se apellidaba.

Sin saber adónde ir, se sacó el marcapáginas del bolsillo para estudiarlo una vez más. La letra de su padre había empezado a borrarse en los pliegues.

Le dio la vuelta y contempló el dibujo de la librería Kincaid, el gato negro y los montones de libros. Era su única pista, así que decidió ir allí. Tal vez su padre hubiera vivido cerca de la librería y los dueños se acordaran de él. Era una apuesta arriesgada, pero no se le ocurría nada más.

Echó a andar, pero poco después se detuvo. Se encontraba frente a un edificio de piedra rojiza, bastante más grande que los bloques de al lado. Su fachada, algo apartada de la calle, estaba flanqueada por árboles. Entre dos de sus columnas colgaba una banderola con el nombre del lugar. Parecía un castillo de cuento.

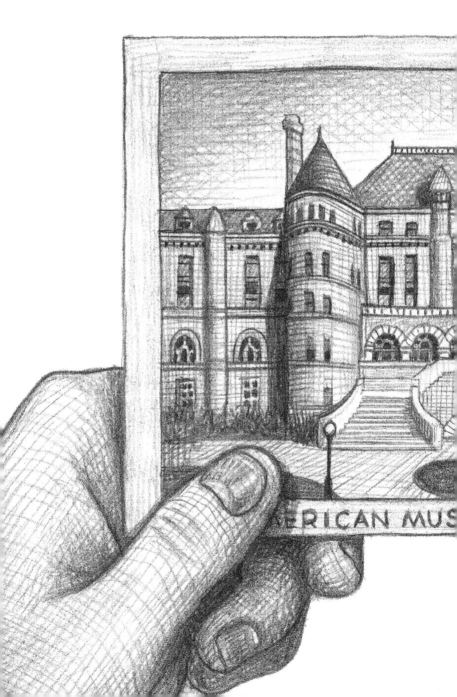

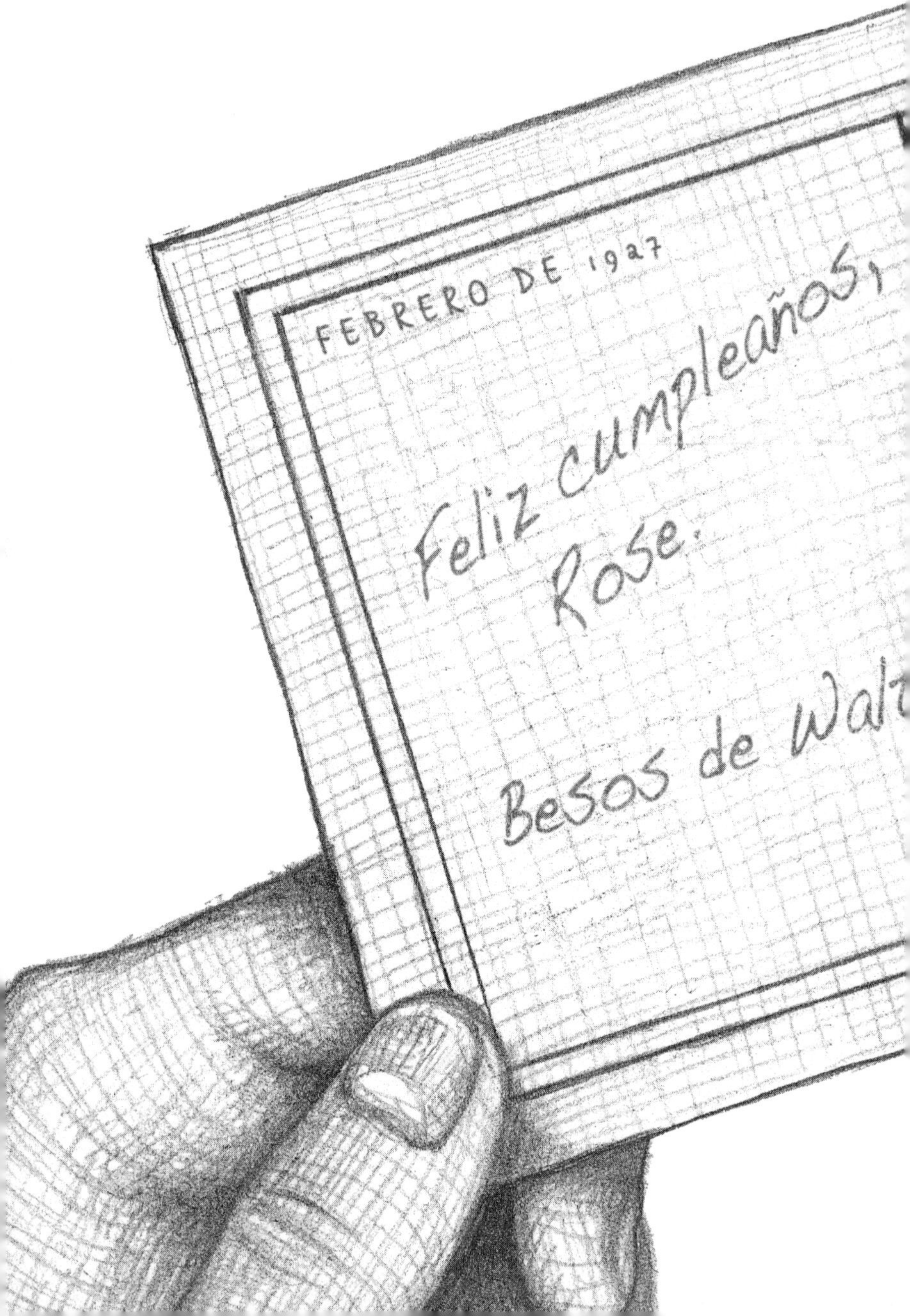
FEBRERO DE 1927
Feliz cumpleaños,
Rose.
Besos de Walt

Miss Rose Kincaid
168 River Street
Hoboken, N.J.

Ben contempló el museo con asombro: la escalinata, la estatua verdosa de un hombre montado a caballo, las columnas y ventanas... Era increíble. Le habría gustado estar allí con su madre, notar el peso de su brazo sobre los hombros... ¿Sabría que su padre se había mudado, o la habría tomado por sorpresa a ella también? Aunque no hubieran sido capaces de encontrarlo, podrían haber ido juntos al museo.

Ben siguió su camino, rezando por que alguien de la librería conociera a su padre. Cuando llegó a la dirección que buscaba, tenía la camiseta empapada en sudor.

Frente a la tienda se apilaban montoncitos de colillas y hojas de periódico arrugadas. Contempló el escaparate: no había gato negro ni cajas de libros. De hecho, allí no había ninguna librería: solo un candado y una verja de metal echada sobre la luna rota. Detrás de la verja asomaban varias tablas claveteadas, y sobre la puerta colgaban torcidos los restos de un cartel donde se leía KIN   BO K .

Ben acercó los ojos a un hueco entre las tablas y el estómago le dio un vuelco. No había más que algunas estanterías desvencijadas, unas cuantas tuberías torcidas en ángulos extraños y un par de cajas de cartón.

¿Y ahora, qué?

Mientras miraba con incredulidad la tienda abandonada, un niño apareció ante él. Ben dio un respingo. El recién llegado tenía el pelo negro, largo y rizado, y vestía una camiseta a rayas. Llevaba una cámara Polaroid al cuello y una mochila a la espalda. ¿Qué querría? A su lado había un hombre que hizo un gesto de impaciencia.

Abrumado, Ben recogió sus cosas y echó a correr. El calor era insoportable, pero no se detuvo hasta llegar al museo. Subió a la carrera los escalones de piedra que había tras la estatua; al llegar arriba tropezó, y el golpe hizo que cedieran al fin los enganches de la maleta. Todas sus pertenencias se desperdigaron por las escaleras, y Ben tuvo que morderse el labio para no llorar.

Cuando se estaba agachando para recoger sus cosas, una sombra se acercó a él. Ben alzó la vista y vio que el chico del pelo rizado y la camiseta a rayas le miraba moviendo la boca y le ofrecía el libro *Maravillas*, que debía de haber recogido de las escaleras. Ben lo tomó, lo guardó en la maleta y la cerró como pudo. Después se dio la vuelta sin despedirse y empujó las puertas giratorias.

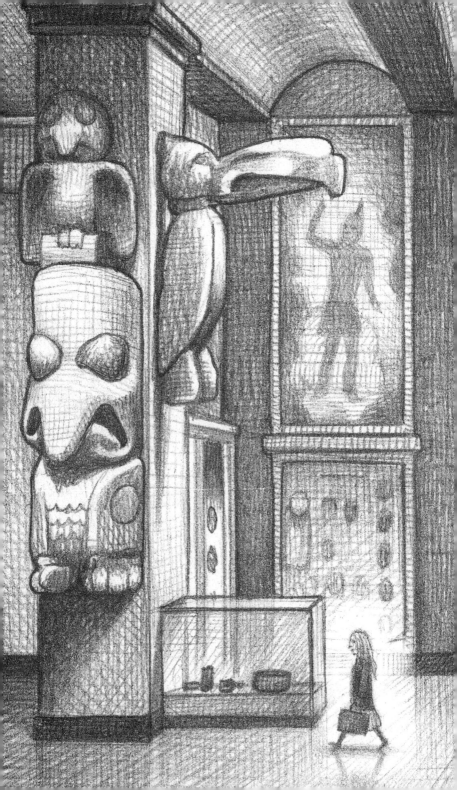

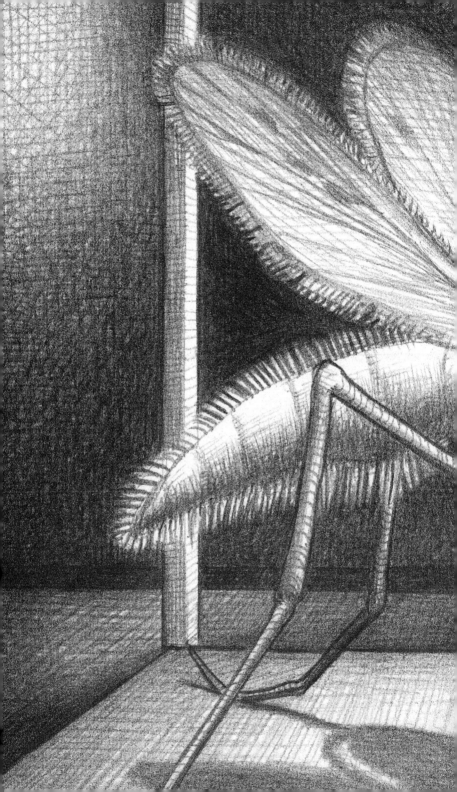

Ben se sorprendió al entrar en el frescor del museo. La luz se filtraba desde una claraboya, y a Ben le vino a la cabeza la iglesia que había cerca de la biblioteca de su madre. Las paredes mostraban murales de colores vivos, llenos de gente, animales y plantas. También había citas de Theodore Roosevelt escritas en los muros: «Es difícil fracasar, pero aún peor es no intentar alcanzar el éxito». Ben no estaba muy de acuerdo con aquella frase, pero pensó que a su madre le habría gustado. Seguro que la habría pegado a la nevera.

No tenía dinero para pagar la entrada, así que aguardó a que alguien entretuviera al vigilante y se coló bajo las cuerdas de la barrera. Encontró un cuarto de baño, bebió un largo trago del grifo y se lavó la cara y los brazos, disfrutando del frescor del agua. Se miró en el espejo y por un segundo le pareció ver a un desconocido, alguien de otro planeta. Aquel rostro lleno de churretes de agua y suciedad le resultaba extrañamente ajeno.

Mientras se secaba, vio un mapa del museo tirado junto al lavabo. Lo desdobló y leyó los nombres de las salas: *Meteoritos*, *Minerales y Gemas*, *El Ser Humano en África*, *Los Indios de la Costa Noroeste*, *Biología de las Aves*, *Pequeños Mamíferos*, *Historia de la Tierra*... Igual que en la biblioteca donde trabajaba su madre, el universo entero estaba allí, organizado y dispuesto para todo aquel que quisiera comprenderlo.

Ben salió del baño y encontró cerca una pequeña cafetería. En una de las mesas había una bandeja con los restos de un sándwich y medio vaso de leche. Asegurándose de que nadie lo miraba, Ben engulló el sándwich y se bebió la leche; no se había dado cuenta del hambre que tenía. Luego siguió los letreros que conducían al ascensor y fue a la primera planta. Con el mapa entre las manos, encontró con facilidad los esqueletos de dinosaurios, que se elevaban sobre su cabeza como antiquísimas montañas rusas. Paseó bajo bandadas de pájaros que colgaban del techo; contempló dragones de Komodo que asomaban sus lenguas bífidas, y vio dos gigantescas tortugas disecadas que parecían proteger sus huevos. «¡Mira, mamá, tortugas!», dijo para sus adentros.

Continuó avanzando como un niño perdido en un castillo. Recorrió corredores gigantescos y descendió por escalinatas de mármol, y por el camino descubrió una manada de elefantes sobre una plataforma, como si estuvieran posando para una foto. En la sala de Vida Marina, una ballena flotaba en el aire como un zepelín azul. Los tiburones alineados frente a las paredes abrían sus blancas fauces, dispuestos a devorar a los incautos.

Pero lo que más maravilló a Ben fueron los dioramas, aquellas maquetas de tamaño natural que se abrían como ventanas en las paredes oscuras. Mostraban horizontes infinitos, puestas de sol, montañas nevadas y praderas, todos repletos de animales congelados en el tiempo. Giraban la cabeza, reposaban sobre las rocas o se acercaban a un arroyo, petrificados para siempre en mitad de una respiración.

Feliz cumpleaños,
Rose.

Besos de Walter

FEBRERO 26 1992

Miss Rose Kincaid
168 River Street
Hoboken, N.J.

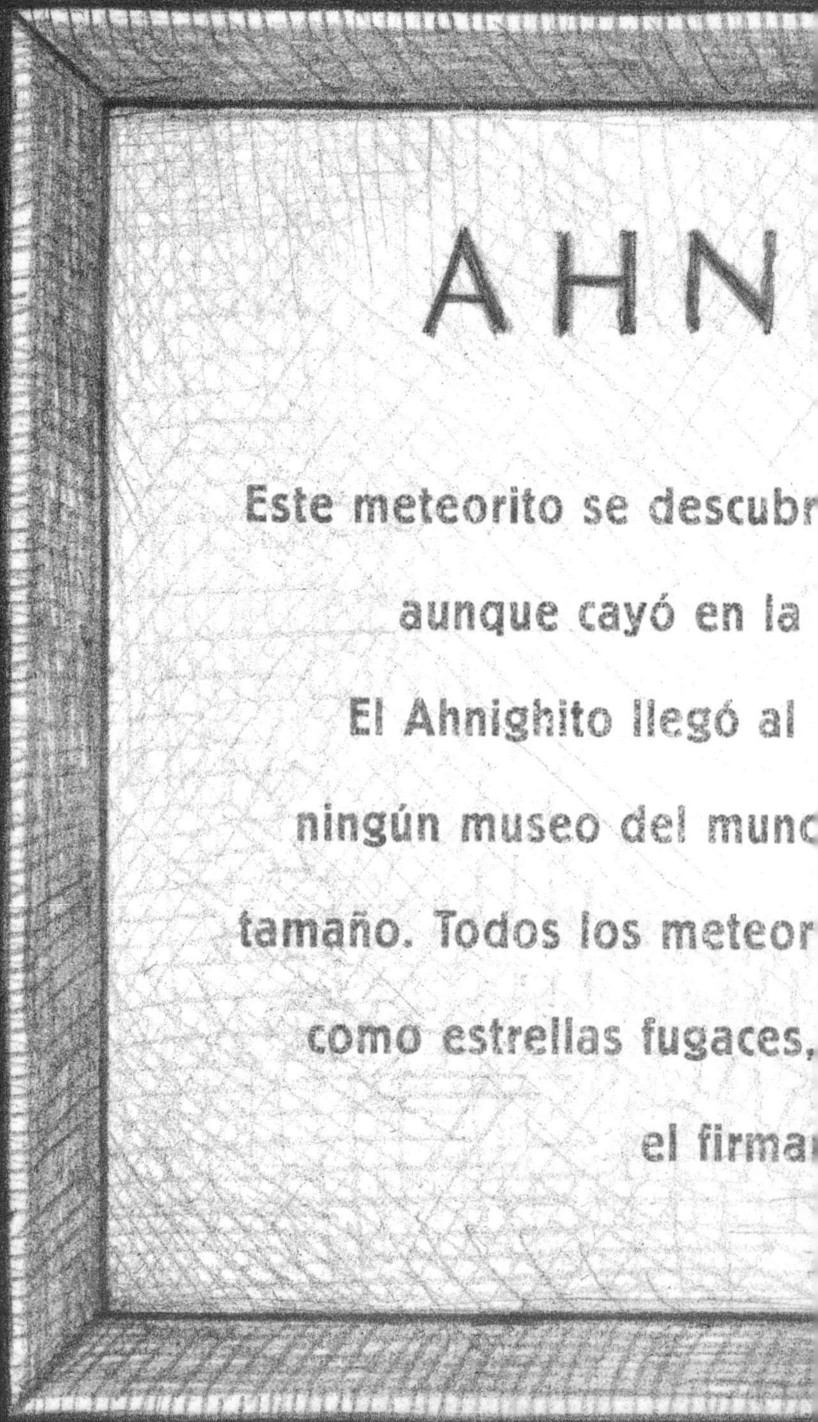

AHN

Este meteorito se descubr

aunque cayó en la

El Ahnighito llegó al

ningún museo del mund

tamaño. Todos los meteor

como estrellas fugaces,

el firma

GHITO

roenlandia en el año 1849,

niles de años antes.

en 1902; a día de hoy,

e un meteorito de mayor

nienzan su viaje a la Tierra

de luz blanca que surcan

nocturno.

meteorito

ugaces, r

el firmam

Ben entró en una sala oscura y redonda; parecía haber sido construida en torno al objeto que reposaba en el centro. Allí, bajo el resplandor de un foco, había un gigantesco meteorito negro del tamaño de un coche.

Pasó la mano por la superficie brillante y ondulada. Era extrañamente suave.

Ben leyó el letrero y pensó en el meteorito que su madre le había descrito, el que había caído en Gunflint Lake hacía dos mil millones de años. ¿Sería mucho más grande que aquel? Si los meteoritos eran estrellas fugaces, ¿podía pedirle un deseo, aunque ya hubiera caído a la Tierra?

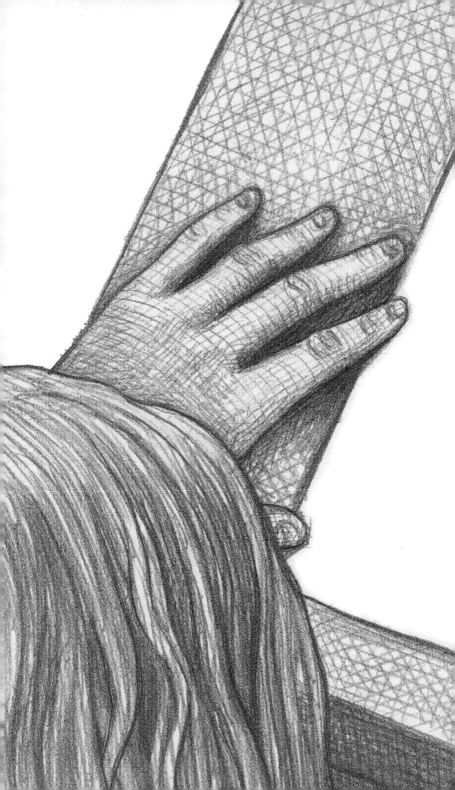

Quisiera encontrar mi lugar.

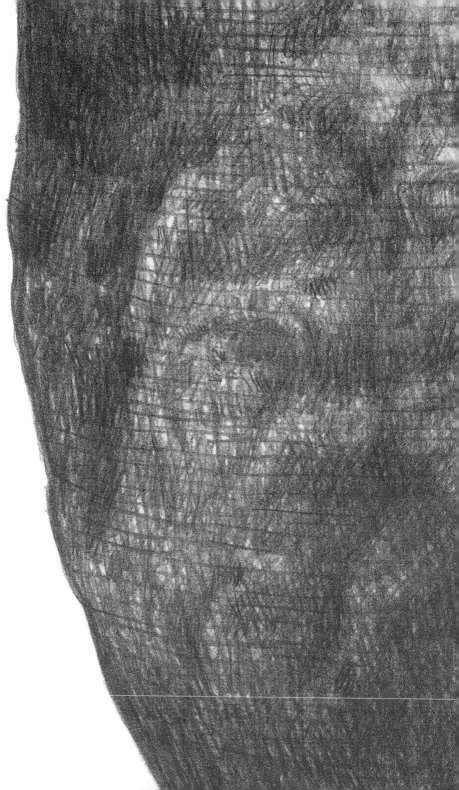

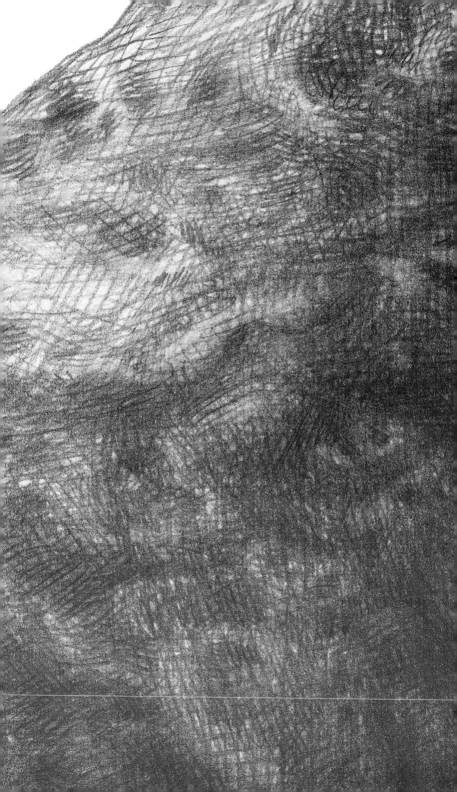

Ben apretó las manos contra el meteorito, disfrutando de su solidez. Dejó la maleta en el suelo, apoyó la mejilla sobre la suave superficie de la roca, cerró los ojos y pidió un deseo.

Cuando abrió los párpados y levantó la vista, se dio cuenta de que había un espejo en el techo. Lo observó: encima del Ahnighito había algo que brillaba –monedas–, y también un trocito de papel doblado. Se empinó para agarrarlo, pero antes de que pudiera hacerlo, alguien le dio un empellón que lo lanzó hacia atrás. Se volvió y vio a un guarda de aspecto enfadado que le agarró de los hombros y le gritó algo. Estaba a punto de pedirle disculpas cuando alguien pasó por detrás del guarda, desequilibrándolo por un momento. Ben intentó aprovechar para liberarse, pero no fue capaz. Observó sus labios con atención: debía de estarle preguntando por sus padres.

–Me dijeron que los esperara en la sala de Vida Marina dentro de diez minutos –dijo.

El guarda negó con la cabeza, gritó algo más y luego se volvió hacia la sala de Minerales y Gemas, donde parecía haber algún problema. Le dijo una última cosa y se alejó.

Ben acercó su maleta al meteorito, se subió encima haciendo equilibrios, extendió la mano y alcanzó el papel. Lo desdobló y vio algo escrito en tinta verde: *¿Qué hay dentro de la caja?*

¿Cuánto tiempo llevaría allí aquella nota? La releyó y pensó en su caja museo. ¿La había recogido después de su caída en las escaleras? No se acordaba. Abrió la maleta y rebuscó entre la ropa.

¡No estaba!

Dio la vuelta al papel y descubrió un dibujo, también en tinta verde. Parecía un plano de la primera planta del museo, con una raya de puntos que serpenteaba por los pasillos y terminaba con una equis, como un mapa del tesoro.

Ben siguió la línea de puntos sala tras sala hasta llegar a un pasillo flanqueado de dioramas por el que no había pasado antes. La equis del mapa estaba delante del quinto.

Se acercó a la maqueta y, al hacerlo, notó que se le erizaba el vello de la nuca y la maleta se le caía de la mano. Ante él brillaba una aurora boreal que se derramaba en cascada sobre el firmamento pintado. A la luz azulada de una luna invisible, dos lobos corrían directos hacia Ben por un paisaje cubierto de nieve. Un escalofrío le recorrió el cuerpo: era como si alguien le hubiera arrancado su sueño de la mente y lo hubiera colocado detrás del cristal.

Leyó el título del diorama, escrito en letras doradas: LOBO (*Canis lupus*), GUNFLINT LAKE, MINNESOTA.

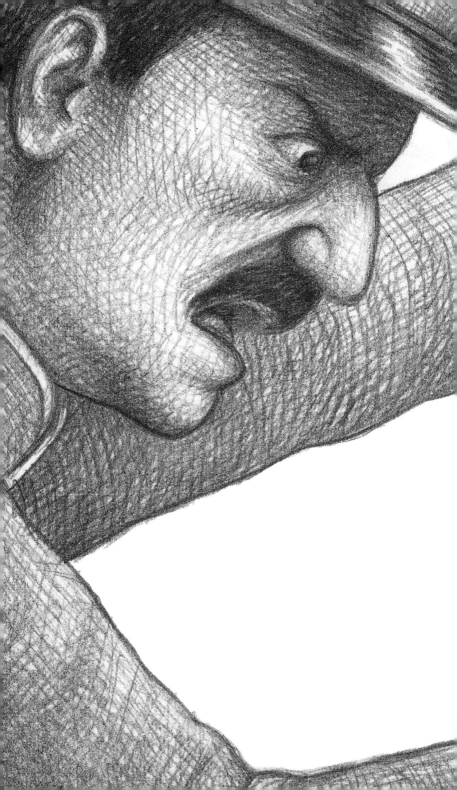

Ben notó que se le doblaban las rodillas y se tambaleó hacia atrás hasta apoyarse en la pared opuesta. Se dejó caer. Era imposible: los lobos no podían estar allí. Y sin embargo, ahí estaban; los veía con sus propios ojos.

Alguien corrió hacia él y le ayudó a ponerse en pie. Ben estaba tan desorientado que tardó un momento en darse cuenta de que era el chico del pelo rizado.

Una familia con dos niños pequeños rodeó la maleta de Ben, que seguía tirada en mitad del pasillo. El chico del pelo rizado se acercó a recogerla y pareció pedir disculpas a la mujer. Luego fue con la maleta hacia Ben, sin dejar de mover la boca. Ben le miró los labios y acabó por darle las gracias. Se incorporó y se frotó la cara.

El chico le lanzó una sonrisa pícara, se quitó la mochila verde, abrió la cremallera y sacó la caja museo. Ben la abrazó contra el pecho. El chico seguía hablando, y Ben se dio cuenta de que esperaba una respuesta. Como no sabía qué podía haberle preguntado, decidió preguntarle algo él.

–¿Por qué elegiste este diorama como punto de encuentro?

Contempló con impotencia la respuesta del chico, tratando de averiguar lo que le decía por los movimientos de sus manos y sus labios. Antes del rayo, de vez en cuando jugaba a taparse el oído bueno para tratar de leer los labios de la gente, pero jamás había sido capaz de hacerlo. Sin dejar de mirar la boca del chico, Ben repitió la pregunta.

El chico inclinó la cabeza y entrecerró los ojos. Dijo algo más y luego señaló el diorama.

Ben asintió.

Con una lentitud exagerada, el chico extendió la mano hacia la caja museo de Ben, señaló el grabado de la tapa y luego los lobos de la instalación.

¡Claro! El lobo de la caja le había dado la idea de quedar allí con él.

Una anciana con el pelo largo y blanco se acercó al diorama y se detuvo al lado de ellos. Sonrió amablemente en su dirección, con expresión ausente, y luego contempló la maqueta iluminada por la luna. Ben y el chico esperaron a que se fuera, pero se quedó allí observando los lobos, los árboles y el resplandor que encendía el cielo pintado.

El chico apartó a Ben de la vitrina y lo condujo hasta el diorama de la cabra montés.

Ben cerró los ojos y se apoyó en la pared. Cuando volvió a abrirlos, la boca del chico se movía de nuevo y sus manos estaban junto a la cabeza de Ben. Dio una palmada como había hecho la enfermera en el hospital, y luego se metió la mano en el bolsillo y sacó un cuadernito de espiral y un bolígrafo de color verde. Escribió algo y le tendió el cuaderno a Ben.

¿Eres sordo?, leyó este.

Asintió de mala gana.

¡Ahora entiendo por qué no me hacías ni caso cuando te hablaba!

Ben se encogió de hombros.

El chico señaló a la anciana y escribió: *Se pasa la vida aquí.* Después se señaló a sí mismo y añadió: *Jamie.*

–Yo soy Ben.

Jamie empezó a hacer gestos extraños con la mano derecha. Al ver que Ben no contestaba, escribió: *¿No conoces la lengua de signos? A mí me enseñaron el alfabeto en el colegio.*

Ben negó con la cabeza.

¿Y eso?

–Solo ha pasado un mes –explicó Ben tocándose la oreja.

–¿Qué te pasó? –preguntó Jamie, y esta vez Ben sí que pudo leer sus labios.

–Me cayó un rayo.

–¿Un rayo?

Ben asintió.

¿Y cómo es que no te has muerto?, escribió Jamie.

Ben enarcó las cejas, como diciendo: «Ya ves», y Jamie pareció entenderle. *¿Te has escapado de casa?*, escribió, y señaló su maleta.

Ben volvió a asentir y Jamie abrió mucho los ojos. *¿De dónde eres?*

Antes de que Ben pudiera responder, la anciana echó a andar y pasó por delante de ellos. Los chicos regresaron a la vitrina de los lobos. Ben contempló los brillantes ojos de los animales, hipnotizado, hasta que Jamie le puso la mano en el hombro y señaló su cuaderno: *¿De dónde eres?*

Ben señaló las letras doradas del título, donde se leía «Gunflint Lake». Jamie soltó una carcajada, pero Ben volvió a señalar el letrero con expresión seria. Los ojos de Jamie se abrieron mucho. Posó las manos en los hombros de Ben y le empujó hasta situarlo de espaldas al cristal. Entonces dio un paso atrás, alzó la cámara y le sacó una foto.

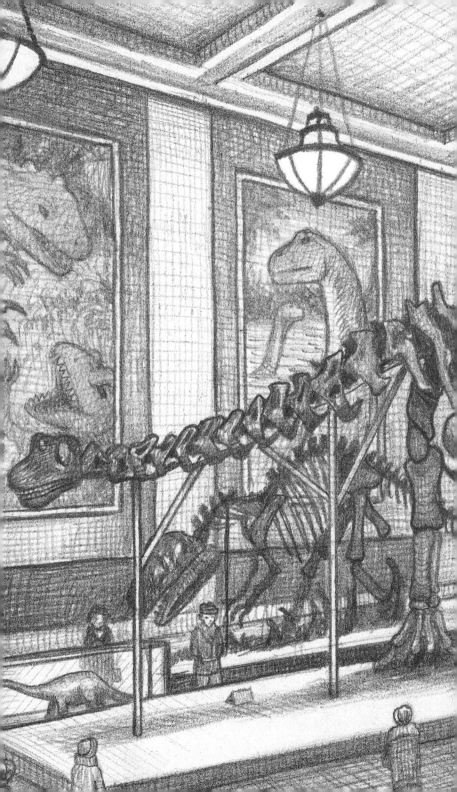

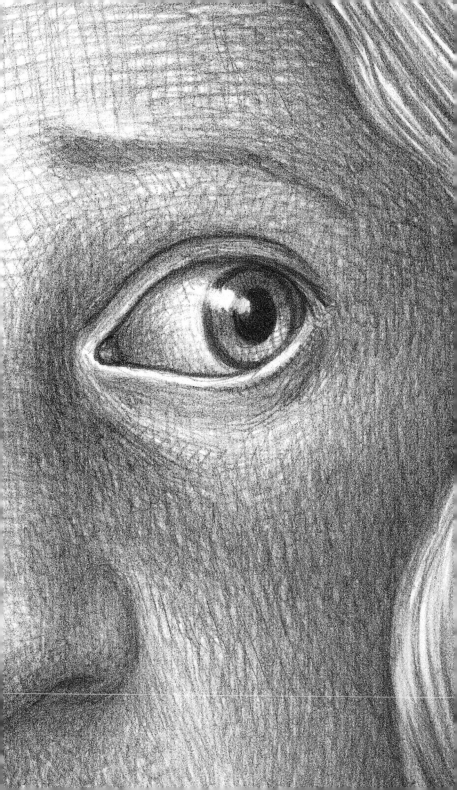

El blanco resplandeciente del flash cegó a Ben por un instante, y se estremeció al recordar el rayo. Cuando se le acostumbraron los ojos, vio que Jamie le miraba con su sonrisa torcida. En una mano sostenía la foto que acababa de sacar, un cuadrado gris con el borde blanco que había salido por la ranura de la cámara. Ben sabía que la imagen aparecería en unos minutos, pero Jamie se la guardó en el bolsillo antes de que eso ocurriera.

¿Por qué lo hiciste?, escribió en su cuaderno.

–¿El qué?

Jamie hizo el gesto de «escaparse» moviendo dos dedos como si fueran piernecitas.

Sin saber qué responder, Ben se arrodilló y guardó la caja museo dentro de la maleta. Jamie sacudió una mano y Ben entendió que quería que lo siguiera. No le apetecía alejarse de los lobos, pero estaba agotado y no sabía qué hacer. Lo único que deseaba era dormir.

Recorrieron pasillos interminables y escaleras hasta llegar a una puerta en la que ponía «Prohibido el paso». Jamie se sacó un manojo de llaves del bolsillo, las sacudió alegremente delante de su cara y abrió la puerta. Ben atisbó la penumbra que había al otro lado y por un instante tuvo miedo de entrar.

Al verlo titubear, Jamie le agarró del brazo y pasó con él.

Las ventanas estaban cubiertas con lonas sucias, y solo dejaban entrar una luz tenue y grisácea. La sala estaba atestada de cajas y libros antiguos que se acumulaban en estanterías desde el suelo al techo. Había papeles por todas partes, y en una de las paredes se distinguía una mancha de humedad. Al fondo había muebles viejos amontonados. Todo estaba cubierto por una gruesa capa de polvo.

–¿Qué es este sitio? –dijo Ben mirando a su alrededor.

Mi escondite secreto.

–Ya, pero ¿qué era antes?

Supongo que un almacén, respondió Jamie, y se encogió de hombros.

Ben contempló las pilas de cajas y papeles. Aquello le recordaba al archivo de la biblioteca de su madre, con sus hileras de estanterías llenas de periódicos y revistas antiguas. Jamie agarró una caja de un estante y extrajo de ella una manta de piel; según la etiqueta identificativa, se trataba de una pieza de una exposición de 1947 sobre el hombre de las cavernas. Ben avanzó hasta el fondo de la estancia, retiró la capa de polvo con el pie y vio que bajo la suciedad había una especie de tablero de ajedrez: las baldosas estaban pintadas alternativamente de blanco y negro, aunque el esmalte ya se había desconchado en muchos puntos. A Ben le invadió la certeza de haber visto ese mismo diseño antes, tal vez en la estación de autobuses o en otra zona del museo. Jamie extendió la manta de piel en el suelo, sacó una linterna de otra caja, se la tendió a Ben y los dos chicos se sentaron.

La piel olía a humedad, pero era suave y mullida. Jamie sacó de la mochila un sándwich y le entregó la mitad a Ben, y este lo devoró rápidamente aunque era de atún, que no le gustaba demasiado.

–Gracias –dijo entre mordisco y mordisco.

Después de comer se sintió algo mejor, pero todavía necesitaba dormir. Quizá pudiera descansar un poco allí mismo, sobre la piel húmeda, hasta que se le aclarara la cabeza y se le ocurriera qué hacer. Pero antes de que pudiera decírselo a Jamie, el chico levantó la mano derecha y cerró el puño. A continuación, extendió los dedos y cruzó el pulgar sobre la mano: estaba repitiendo los signos que había hecho antes. Colocó la mano en forma de luna creciente y luego unió el pulgar con las puntas de los demás dedos salvo el meñique, que dejó recto hacia arriba. Luego, animó a Ben a que repitiera todos los signos mientras vocalizaba la letra correspondiente.

Demasiado cansado como para protestar, Ben comenzó a imitar los movimientos de Jamie: E, F, G... Le agradaba la sensación de crear figuras con las manos, y se despabiló un poco. Algunas letras eran fáciles porque imitaban los signos escritos, como la C, la L, la S o la Z, pero otras, como la P, la H o la F, resultaban difíciles de recordar.*

---

* Como en otras partes del libro, el autor se refiere al alfabeto en lengua americana de signos. (N. de la E.)

Recorrieron el alfabeto entero unas cuantas veces, y después Jamie bajó una caja de zapatos de una estantería que había cerca. Estaba llena de fotos Polaroid, y Ben dedujo que Jamie quería mostrárselas. Pasó una tras otra, contemplando esqueletos de dinosaurio, docenas de encuadres de la ballena azul, primeros planos de bisontes, lagartos, gorilas, cabras monteses, alces, coyotes, lobos... En otra sección de la caja había fotos de los visitantes, un sinfín de detalles de peinados, gafas y atuendos. Una de las instantáneas mostraba a la anciana que habían visto frente a la maqueta del lobo.

¡Te dije que se pasa la vida aquí! Una vez la seguí hasta esta sala. Se quedó delante de la puerta, mirando el letrero de «Prohibido el paso», y lo acarició. Nunca me había fijado en este sitio. Como mi padre trabaja aquí, robé un juego de llaves de la oficina y me colé.

Luego, Jamie le mostró una foto de una mujer rubia con el pelo corto y grandes gafas doradas, y vocalizó las palabras «mi madre». La imagen la mostraba de pie junto a un árbol del que colgaba un columpio. *Trabaja hasta tarde,* escribió Jamie. *Cuando salgo del cole, vuelvo a casa en autobús. Tengo una llave de casa y paso las tardes solo allí. Vivimos en el extrarradio.*

Ben no sabía qué significaba esa palabra, pero le sonó a algo lejano.

–¿No vives en Nueva York?

Jamie negó con la cabeza y fue pasando fotos hasta encontrar una de un hombre que caminaba hacia la cámara, con sombrero y una corbata torcida.

–Mi padre –vocalizó.

Ben se llevó la mano al medallón que tenía bajo la camisa.

Vive aquí, escribió Jamie. *Le veo los fines de semana y los días festivos, y me quedo con él durante el verano.*

Jamie señaló la maleta y le hizo un gesto para que la abriera.

Ben hubiera preferido no hacerlo, pero la sonrisa pícara del chico acabó por convencerle. En cuanto levantó la tapa, Jamie señaló la caja museo; claramente, estaba deseando saber qué contenía. Ben volvió a dudar, pero Jamie le animó, sonriente.

Todo estaba en su sitio: las dos piedras grises, su diente de leche, la ficha de plástico, el fósil, el cráneo de pájaro, la tortuga hecha de conchas...

Ben fue levantando un objeto tras otro y contó algo sobre cada uno. Jamie, al contrario que Billy, no se burló de él; de hecho, parecía disfrutar escuchándolo. Le hizo preguntas y extendió la mano para ir tocando los objetos. Cuando Ben le vio sostener sus tesoros, se sintió vagamente feliz: hasta entonces, la única persona que había mostrado interés en su colección era su madre.

Cuando hubieron examinado todo, Jamie agarró su mochila verde y se la colgó a la espalda. Se señaló a sí mismo y después hizo un gesto hacia la salida.

Es tarde. Tengo que irme. Volveré mañana, escribió. *Puedes dormir aquí, no te pasará nada. Los baños están en el pasillo. Ten cuidado con el vigilante nocturno.*

Le saludó desde la puerta y se marchó. Ben se sentía exhausto y aliviado por haber encontrado un lugar seguro donde pasar la noche. Mientras guardaba su caja museo en la maleta, recordó la delicadeza con la que Jamie había manipulado el cráneo de pájaro, la tortuga de conchas y los estromatolitos.

Se acostó en la piel y se acurrucó, con las rodillas dobladas contra el pecho. En cuanto cerró los ojos se puso a pensar en su casa. Seguro que las enfermeras del hospital de Duluth habían llamado a su familia al ver que no estaba. ¿Le seguiría la policía hasta Nueva York? Al menos, Robby se alegraría de tener la habitación para él solo por un tiempo.

Ben imaginó que su madre estaba sentada a su lado, levantándole la barbilla para que la mirara a los ojos. Aguardó a que le dijera qué debía hacer, a que le diera el consejo perfecto. Pero ella siempre había intentado que Ben descubriera las cosas por sí mismo, así que cuando se la imaginó hablando, lo único que le dijo fue: «Todos estamos en el fango, pero algunos miramos a las estrellas».

Después, su madre desapareció y a Ben no se le ocurrió nada que hacer salvo volver a casa.

Le zumbaba la cabeza y le picaba la piel. Encendió la linterna, abrió el medallón y contempló la cara de Daniel. Puede que estuviera equivocado desde el principio: tal vez no fuera su padre.

Había sido una locura ir hasta allí sin más información.

–¿Quién eres? –le preguntó a la fotografía.

No hubo respuesta. A Ben le hubiera gustado quedarse lo bastante como para averiguar qué hacían allí los lobos, pero el sentimiento de culpa se apoderó de él y supo que debía volver a Minnesota.

Ben corría por la nieve una vez más. El viento le cortaba la cara y le impedía respirar, pero había algo distinto. No se oían sus pasos, no había aullidos, la nieve no crujía. Todo estaba en silencio, así que no sabía dónde se hallaban los lobos. ¿Habrían desaparecido o se encontraban pisándole los talones, a punto de saltar sobre él? Sin atreverse a volver la vista, siguió corriendo hasta despertar bañado en sudor frío, jadeante, con la manta de piel enredada entre las piernas.

Jamie no volvió aquella mañana, y Ben no quería marcharse sin darle las gracias y decirle adiós. Además, necesitaba ayuda para llamar a sus tíos.

Tenía hambre, así que se levantó, se cambió de camisa y salió del almacén sin cerrar la puerta con llave. Fue al baño y después a la cafetería, donde engulló los restos de un sándwich, un cuenco de macedonia y un poco de zumo que encontró en una mesa vacía. Luego regresó al diorama de los lobos y contempló los ojos de cristal de los animales.

Y entonces vio junto a la maqueta un cartel que no había advertido el día anterior.

Hábitat del lobo
Gunflint Lake, Minnesota

Esta imagen invernal, típica de diciembre, tiene lugar al borde de Gunflint Lake. En la orilla opuesta se encuentra Ontario. Este lago formaba parte de la antigua ruta de los comerciantes de pieles, que se extendía desde el lago Superior hasta el lago Rainy en un trayecto ideado para minimizar los desplazamientos por tierra.

La escena ocurre a medianoche. La temperatura está muy por debajo de los cero grados. En el horizonte brilla una aurora boreal en cortina. Se pueden reconocer las constelaciones Ursa Maior (Osa Mayor) y Ursa Minor (Osa Menor).

Ben contempló el cielo pintado en la pared curva que cerraba el diorama. Allí estaba la Osa Mayor, y en la cola de la Osa Menor se distinguía perfectamente la estrella Polar. Sin embargo, Ben nunca se había sentido más perdido que en aquel momento.

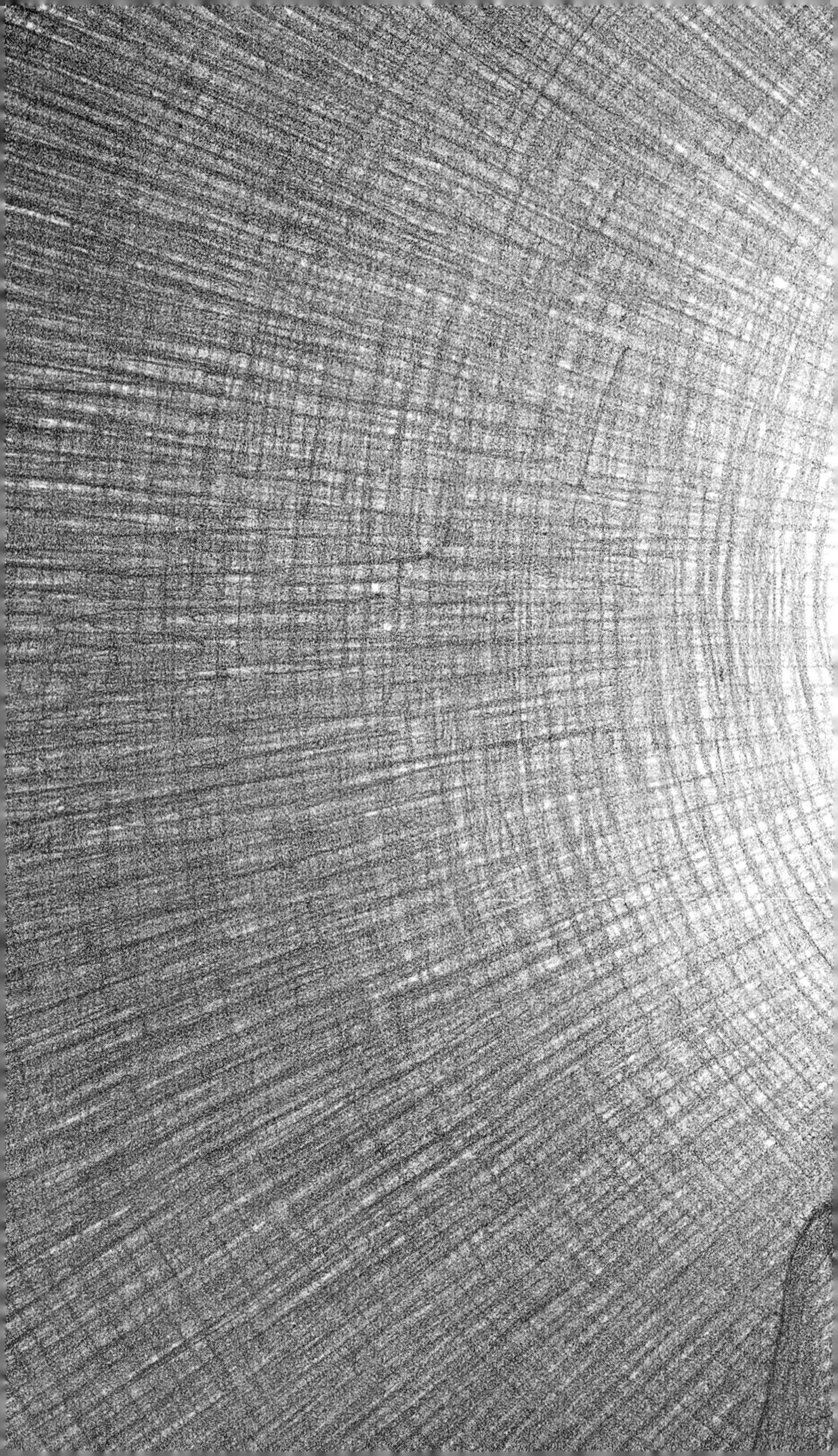

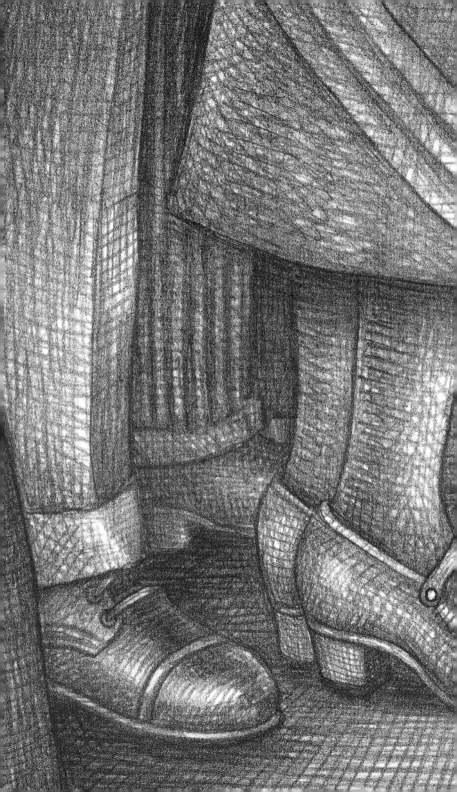

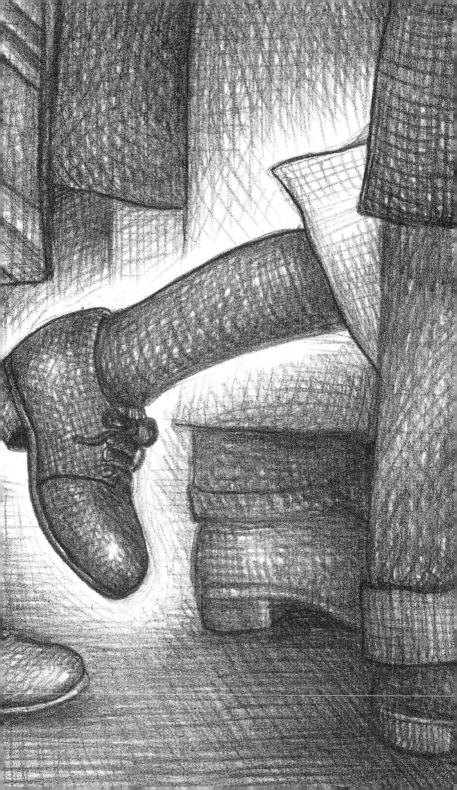

GABI

MARA

EL NACIMIENTO

ETES

ILLAS

E LOS MUSEOS

Tras pasar horas deambulando por el museo, Ben decidió esperar a Jamie en el almacén secreto. Al llegar vació sus bolsillos, que estaban llenos de objetos que había ido encontrando: un dinosaurio de plástico, una tarjeta de visita, una horquilla y un billete de metro.

Era ya tarde y estaba releyendo *Maravillas* cuando por fin se presentó Jamie. Se sentó a su lado encima de la piel y sacó de su mochila verde un par de sándwiches y dos latas de refresco. Ben sonrió, abrió una y dio un trago.

Jamie escribió algo en su cuaderno: *Siento haber tardado en volver. Olvidé que mi padre me iba a llevar con él a comprar una cosa para su trabajo.*

Ben asintió. Mientras comían, Jamie bajó de una estantería un tocadiscos viejo de color azul, que a Ben le recordó al de su madre. Jamie eligió un disco y lo colocó en la pletina. Cuando estaba bajando la aguja, se detuvo, se dio un golpe en la frente e hizo una mueca señalando primero a Ben y luego a sus orejas.

–No pasa nada –dijo Ben–. Escucha tú la música; yo notaré las vibraciones.

Jamie sonrió e hizo bajar la aguja. Ben apoyó la mano en la tela del altavoz y sintió la música como hacía su madre.

–Tengo que volver a casa, Jamie –dijo Ben cuando terminó el disco–. ¿Puedes hablar con tu padre y pedirle que me deje llamar a mi familia?

Una expresión extraña atravesó el rostro de Jamie.

Vale. Pero primero tengo una sorpresa para ti. Mi padre trabaja hoy hasta tarde, así que tenemos unas horas. Sígueme.

Ben no se movió del sitio, de modo que Jamie insistió:

Te prometo que hablaré luego con él.

El museo ya estaba cerrado, y resultaba inquietante verlo tan vacío. Jamie condujo a Ben por los largos pasillos y le hizo cruzar decenas de puertas, algunas de las cuales tuvo que abrir con su manojo de llaves. Apenas había luces encendidas, y todo se encontraba sumido en la penumbra; solo la linterna de Jamie iluminaba el suelo delante de ellos. En cierto momento divisaron al vigilante nocturno, que leía un libro sentado en el extremo de un corredor. Jamie agarró a Ben del codo, lo hizo retroceder y se alejó de allí.

Al cabo de un rato, Jamie abrió una puerta en la que ponía «Controles eléctricos». Atravesó la habitación hasta llegar a otra puerta, tras la que se extendía una hilera de asientos plegables, y empujó suavemente a Ben para indicarle que se sentara. Cuando los ojos de Ben se acostumbraron a la oscuridad, distinguió un débil resplandor: venía de un panel de control junto al que se encontraba Jamie. Entonces, un objeto que le recordó a un gigantesco insecto metálico apareció en el centro de la sala.

El artefacto empezó a moverse y de pronto el techo se iluminó con cientos de puntos luminosos.

Ben se quedó boquiabierto. ¡El planetario!

Jamie se sentó a su lado mientras el cielo se llenaba de estrellas fugaces. El proyector giró y los dos chicos se encontraron en el interior de un meteorito que cruzaba el espacio a toda velocidad. Volaron hasta la luna y rebotaron entre los cráteres. Uno a uno, fueron apareciendo los planetas; pronto estuvieron más allá del sistema solar, contemplando el universo desde arriba como dioses antiguos. A Ben le vinieron a la mente las estrellas fosforescentes de su habitación, la Osa Mayor, la cita del fango y las estrellas, las palabras de su madre... Las luces giraban en remolinos por encima de su cabeza y trazaban estelas en la cúpula del techo, como un millón de luciérnagas eléctricas que crearan constelaciones en la oscuridad.

Cuando terminó la película, a Ben le pareció aterrizar suavemente. Jamie le agarró de la mano y lo condujo de vuelta al museo. Pasaron junto a los elefantes envueltos en sombras y a los pájaros negros que parecían vigilar las salas. Cuando estuvieron bajo la silueta gris de la ballena, Ben señaló hacia arriba. Alrededor de ellos, los dioramas estaban sumidos en la oscuridad. Sus cristales reflejaban como espejos, y los chicos empezaron a agitar los brazos y hacer muecas al pasar frente a ellos. Desde algunos ángulos, los animales asomaban tras sus reflejos como si fueran fantasmas del Serengueti. A Ben le costaba imaginarse el museo lleno de luz y gente: en aquel momento, parecía un lugar encantado.

Sin dejar de sonreír, Jamie encendió su linterna y condujo a Ben hasta un montacargas desvencijado. Cerró tras ellos la verja metálica y bajó una palanca larga de bronce. El montacargas se sacudió y descendió lentamente hasta el sótano, donde los esperaba un nuevo laberinto de pasillos que los dos chicos recorrieron hasta llegar a una puerta doble con la pintura descascarillada. Sobre la puerta había un cartel que ponía «Taller» en letras negras de molde. Debajo, alguien había escrito a mano: «Oh, vosotros los que entráis, abandonad toda esperanza».

En cuanto entraron, Jamie empezó a deambular de mesa en mesa agarrando instrumentos metálicos y frascos llenos de un líquido misterioso que brillaba como el ámbar. Ben lo miraba todo con asombro, tratando de imaginar para qué serviría cada cosa.

Unos minutos después, Jamie articuló la palabra «¡Más!», y condujo a Ben por una serie de enormes salas de almacenaje. Ben miró a su alrededor, impresionado, y sus ojos pasearon por polvorientos huesos de dinosaurio, hileras de pajarillos en perchas de madera, conchas, fósiles, insectos, ropajes antiguos, puntas de lanza, joyas, botones de marfil y otras mil cosas fascinantes.

Después de explorar durante un rato, Jamie enfiló un largo pasillo. En una de las paredes se alineaba una sucesión interminable de archivadores negros de metal. Había cinco alturas de cajones, y en su parte superior se apilaban muebles viejos.

Ben distinguió un viejo armario de fichas aún más grande que el de la biblioteca de su madre. Recorrió con la mirada la fila de archivadores. ¡Había cientos, miles de cajones! Abrió uno y echó un vistazo: estaba lleno de carpetas etiquetadas y sujetas a los lados con varillas de metal. Eligió una al azar, la abrió y sacó un papel: era un recibo detallado de la adquisición de una copa de oro en 1913. Ben lo leyó rápidamente y después extrajo una fotografía antigua del museo. Enseguida se dio cuenta de que la entrada era distinta, y se estaba preguntando qué más cosas habrían cambiado con los años cuando Jamie le arrastró de nuevo a la planta principal.

Volvieron sobre sus pasos hasta encontrarse de nuevo frente al diorama de los lobos. La lámpara que imitaba la luz de la luna estaba apagada, y cuando Jamie apuntó a la cristalera con la linterna, cuatro ojos de vidrio resplandecieron.

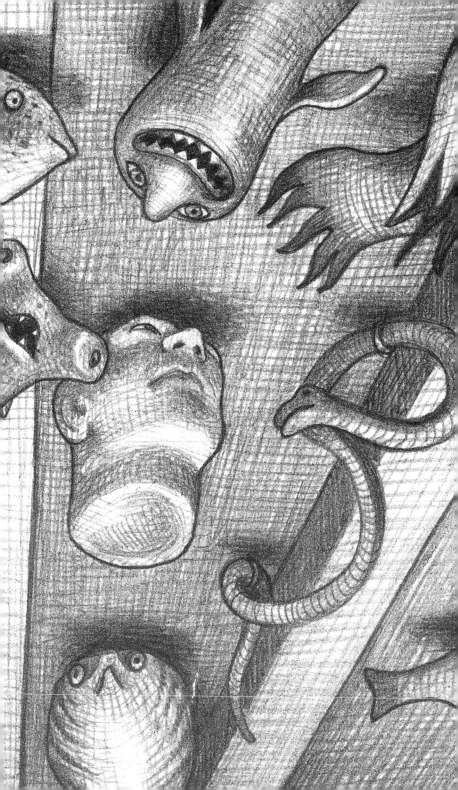

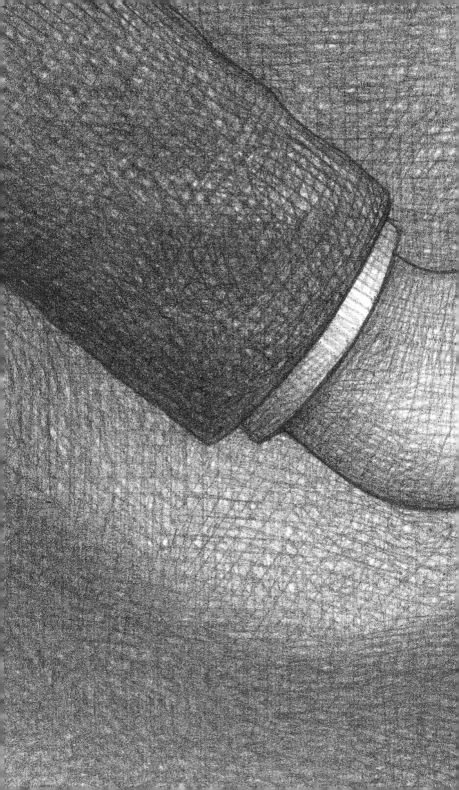

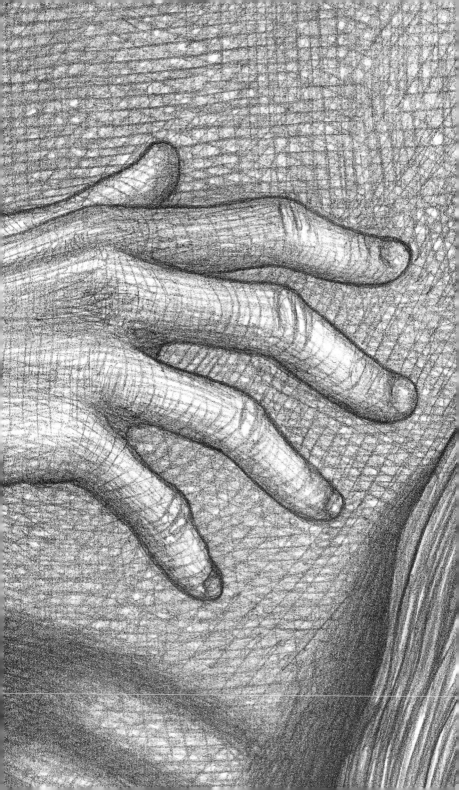

Al llegar al escondite secreto, los dos chicos se sentaron sobre la manta de piel y tomaron aliento.

–¡Ha sido increíble! –exclamó Ben meneando la cabeza–. ¡Gracias!

La cara de Jamie resplandeció. Le sacó otra foto a Ben, le tendió la cámara para que le hiciera una a él y dejó las dos juntas sobre la manta para que se revelaran. Luego le dio la linterna a Ben y se puso a escribir una larga nota en el cuaderno, con la lengua asomándole entre los dientes.

Nunca le había enseñado a nadie el museo. Cuando vi tu caja del lobo pensé que te gustaría. Jamie se detuvo un instante para lanzarle una mirada rápida, y en ese instante, Ben vio algo en sus ojos, algo que los unía más allá del escondite secreto y de su amor por el museo.

El bolígrafo comenzó a moverse de nuevo. *Aquí no tengo amigos. A ningún chico le gustan las mismas cosas que a mí. No tengo a nadie con quien compartir esto. Ni siquiera mi padre se preocupa por lo que hago durante todo el día, y eso que lleva dos años trabajando en el planetario. Solo tú lo sabes.*

Ben observó fijamente las palabras «Solo tú lo sabes» y quiso decirle que él se sentía igual, pero dejó que Jamie siguiera escribiendo.

Me gustaría importarle a mi padre.

–Estoy seguro de que le importas –dijo Ben–. Tal vez esté demasiado ocupado.

Jamie se encogió de hombros y artículo un «Puede».

–Habla con él –insistió Ben, tratando de imaginar cómo sería hablar con su propio padre.

En lugar de contestar, Jamie empezó a garabatear en el cuaderno largas filas de puntos y flechas. Ben pasó el dedo por las líneas y Jamie se echó a reír.

¡Perdona! A veces, cuando me aburro o estoy pensando en algo, me invento juegos. Me encanta dibujar mapas.

–¡Ya lo sé! –exclamó Ben al leerlo–. ¡Y también sigues a la gente por todo el museo!

Jamie sonrió. *Me gusta tener un sitio solo para mí donde guardar mis fotos y escuchar música.* Ben asintió.

–A mi madre y a mí nos gustaba oír música juntos mientras leíamos. Era bibliotecaria.

¿Era? ¿En qué trabaja ahora?

Ben intentó hablar, pero no le salieron las palabras. Agarró la libreta y el bolígrafo y escribió sobre su madre, el accidente de coche y la casa de sus tíos.

–Oh –articuló Jamie cuando terminó de leer–. Lo siento.

Ben no respondió.

¿Y tu padre?

Ben se encogió de hombros.

¿Tus padres también estaban divorciados?

Ben negó con la cabeza. Al ver que no ofrecía más explicaciones, Jamie cambió de tema.

¿De verdad hay lobos en Gunflint Lake?

Ben asintió.

¿Y por qué lo hiciste?

–¿El qué?

Jamie señaló la maleta y volvió a hacer el gesto de correr con los dedos.

Estás muy lejos de casa, ¿no?

Ben bajó la vista e inspiró profundamente.

–Después de que me alcanzara el rayo, estuve bastante tiempo en el hospital de Duluth. Desde la ventana veía la estación de autobuses –hizo una pausa y Jamie le animó con un gesto a que continuara–. Mi prima Janet me debía un favor, así que cuando vino a visitarme le pedí que me trajera mi libro favorito y el medallón de mi madre. También le dije que necesitaba ropa limpia, mi caja museo y el dinero que guardaba mi madre para emergencias, porque quería comprar algo de comer en las máquinas expendedoras. La siguiente vez que vino a verme, lo trajo todo en una maleta.

¿Sabía que ibas a...? Jamie dejó de escribir y repitió el gesto de correr con los dedos.

–Creo que no; si lo hubiera sospechado, no me lo habría traído. Esa noche me cambié de ropa, me escapé del hospital y me acerqué a la estación de autobuses. Ya estaba a mitad de camino de Nueva York cuando me di cuenta de que debería haberles dejado una nota.

Vale, pero aún no me has dicho por qué... Una vez más, los dedos de Jamie parecieron correr por el aire. Ben hizo una larga pausa.

–Quería conocer a mi padre.

¿Vive en Nueva York?

–Eso creía.

Por la expresión de Jamie, Ben supo que esperaba más explicaciones.

–No conozco a mi padre; mi madre jamás hablaba de él. Cuando estaba en el hospital le pregunté a mí tía si sabía algo, pero me dijo que no. Yo había encontrado la dirección de mi padre entre las cosas de mi madre, después de que ella muriera. Se me ocurrió pensar que mi madre había planeado hacer este viaje conmigo, y me pareció que tenía que venir. Ahora me resulta raro recordarlo. Fue casi como si... como si algo se apoderara de mí. Se me ocurrió la idea de buscar a mi padre, y al momento siguiente estaba montado en un autobús hacia Nueva York –Ben sacudió la cabeza, todavía aturdido por lo que había hecho–. En cuanto llegué fui a su casa, pero ya no vivía allí. Tenía otra pista: un marcapáginas de la librería Kincaid en el que estaba escrita su dirección. Pensé que allí lo conocerían. Por eso estaba ahí cuando me viste por primera vez.

Intenté decirte que Kincaid no... El bolígrafo de Jamie se detuvo en el aire.

Ben miró alternativamente a Jamie, al bolígrafo y al papel; no entendía por qué había dejado de escribir. Finalmente, el bolígrafo bajó y terminó la frase.

... no existía ya.

–¡Ya lo vi!

Entonces no sabía que eras sordo.

Los dos chicos se quedaron callados y observaron su escondite. Era como si estuvieran esperando a que sucediera algo, pero no supieran el qué.

–Me gustaría quedarme contigo más tiempo, pero mi tía debe de estar muerta de preocupación. Tengo que regresar a Gunflint Lake.

Jamie negó con la cabeza.

Primero tienes que practicar el alfabeto.

Ben sonrió e hizo un gesto de conformidad, así que Jamie volvió a enseñarle las letras y luego los dos deletrearon sus nombres. Practicaron con varias palabras, y al cabo de un rato Ben era capaz de realizar la mayoría de los signos.

Jamie hizo una pausa y levantó el cuaderno. *Mi madre viene mañana de visita, así que no podré venir.*

–Tengo que volver a casa, Jamie. Por favor, pídele a tu padre que me ayude.

Jamie le lanzó a Ben una mirada extraña, como si tratara de decidir algo. *Me da miedo que se enfade conmigo*, escribió finalmente.

–¿Por qué? Me has ayudado, ¿no? Eso es algo bueno.

Jamie se sacó del bolsillo el juego de llaves y se lo entregó. *Explora un poco mientras yo estoy fuera y luego ya veremos qué hacemos. Ten cuidado. Deja la puerta abierta. ¡Te veo en dos días!*

–Bueno, pero entonces llama tú a mis tíos –Ben escribió el número en el cuaderno–. Diles que estoy bien, que pueden venir a buscarme al museo.

–Vale –respondió Jamie arrancando la hoja.

Sacó de la mochila unos cuantos sándwiches y manzanas y se los entregó junto al cuaderno y el bolígrafo.

–Para ti.

–Gracias. Por favor, no te olvides de llamarlos.

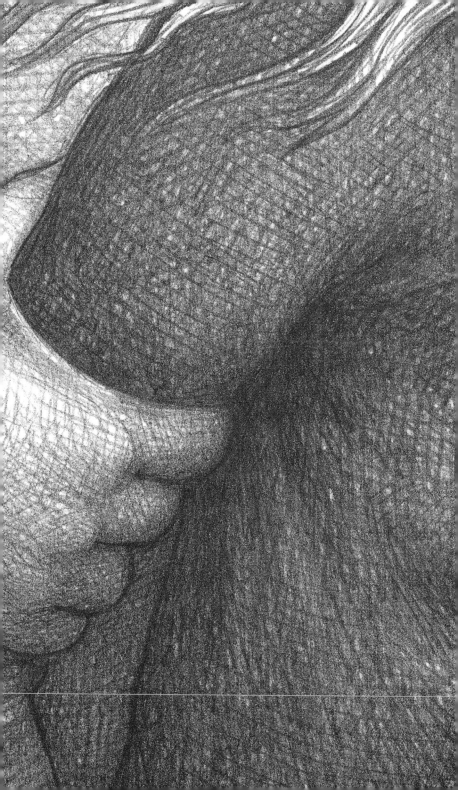

A la mañana siguiente, Ben volvió a visitar el diorama del lobo. Leyó una y otra vez el letrero de la pared intentando imaginar cómo su sueño podía haber llegado hasta allí, a la vitrina de un museo. Miró fijamente la estrella Polar y deseó encontrarse en la biblioteca junto a su madre: allí todo era seguro, todo estaba numerado y ordenado. Ojalá el mundo entero estuviera organizado de la misma forma: así todo el mundo podría encontrar lo que buscaba, ya fuera el significado de un sueño o un padre.

«Si el fichero del almacén no estuviera vacío y arrinconado, podría buscar en él la ficha de este diorama», pensó.

De pronto recordó el recibo de la copa de oro que había encontrado en un archivador. ¿Qué más documentos habría ahí?

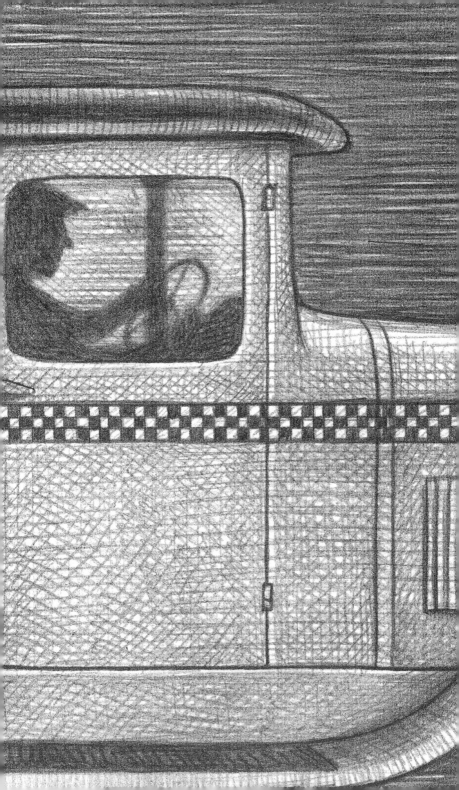

Maxwell House Coffee

Good to the last drop

CHEVROLET

RESCUE
BRAND
DENTAL
CREAM

TIRES
CAPIT

BROTHERS
TONI

CANDY

Las torres de archivadores se extendían de un extremo a otro del corredor. Cada cajonera tenía un asa plateada y una tarjetita enmarcada que indicaba su contenido. Ben recorrió el pasillo hasta llegar a los archivadores etiquetados con la letra D, y se quedó impresionado al contar cincuenta y ocho cajoneras etiquetadas como «Dioramas». Fue abriéndolas una a una: estaban llenas de carpetas con papeles, fotografías, facturas y notas. Parecía haber documentos de todos y cada uno de los dioramas del museo... salvo del de Gunflint Lake. Ben buscó en «Minnesota» y en «Noche» hasta darse cuenta de que estaban organizados por salas. Revisó rápidamente los cajones hasta encontrar una etiqueta que ponía «Sala de Mamíferos Norteamericanos». Fue pasando carpetas: «OSO PARDO DE ALASKA, Bahía Canoe, península de Alaska»; «JAGUAR, Cañón Box, cerca de Guaymas, Sonora oeste, México»; «WAPITÍ, cuenca del lago Trappers, cordillera de Horseshoe, Colorado»... Ben volvió rápidamente hacia atrás y finalmente encontró lo que buscaba: «LOBO, Gunflint Lake, Minnesota». ¡Había cuatro carpetas con aquel título! Tomó aire profundamente y abrió la primera.

Contenía hermosas fotografías de pájaros, mamíferos y árboles que Ben conocía muy bien: cucos piquinegros, gaviotas, mapaches, nutrias, álamos, abetos blancos, abedules... La mayoría de las fotos eran en blanco y negro, pero había algunas a color. También había imágenes de la bóveda celeste, de guijarros y de vastas planicies cubiertas de nieve. Algunas estaban desenfocadas, y unas cuantas tenían flechas y círculos pintados con bolígrafo. En la mayoría de ellas había una fecha: 1965.

En la segunda carpeta, Ben encontró dibujos de los alrededores del lago. Había árboles y paisajes que conocía muy bien, así como bosquejos de toda la zona que circundaba su casa, del cielo diurno y nocturno y de las fases de la luna. Estaban hechos a lápiz y carboncillo, con trazos fuertes y precisos. Uno de los bocetos le provocó un escalofrío: era la cabaña de invitados de su familia.

La tercera carpeta contenía esbozos de lobos en todas las posiciones imaginables. Ben observó asombrado cómo las figuras corrían, se sentaban y saltaban por las páginas; sus ojos brillaban de inteligencia, y sus músculos eran casi perceptibles bajo el pelaje.

En la cuarta había documentos legales, contratos, cartas, facturas y recibos. Ben encontró en la parte inferior de la carpeta una hoja de papel doblada por la mitad. La desplegó: era un recibo. La tinta púrpura casi se había borrado, pero se distinguía parte de la fecha: 1969. En la parte de atrás había algo escrito a mano con tinta negra: «Cenamos mañana. Nos vemos en Kincaid a las 8. Te quiero. M».

¿Kincaid? ¿M? Ben sintió que un cosquilleo le recorría la piel como una pequeña descarga eléctrica. ¿Se referiría a la librería que había ido a buscar? ¿Sería aquel M el mismo que había escrito una nota en el marcapáginas?

De repente atisbó una sombra que aparecía entre los archivadores del otro extremo. ¡Se acercaba alguien! Aterrado, Ben agarró las carpetas.

Robar los documentos fue mucho más fácil de lo que se imaginaba: nadie intentó detenerle mientras recorría el museo con los preciados papeles bajo el brazo.

Una vez estuvo a salvo en el escondite secreto, cerró la puerta, dejó su botín en el suelo y se derrumbó sobre la piel. Apartó las tres primeras carpetas y abrió la cuarta.

Dobló cuidadosamente el recibo con la nota, se lo guardó en el bolsillo y continuó revisando el contenido de la carpeta. Solo parecía haber papeles aburridos, pero de pronto, una copia a carbón de una carta mecanografiada le llamó la atención. En la esquina superior se veía el membrete del museo; parecía un documento oficial.

12 de mayo de 1964

Estimada señorita Wilson:
Me dirijo a usted en calidad de empleado del Museo Americano de Historia Natural, situado en Nueva York. Recien-

temente he aceptado un encargo apasionante: crear un nuevo diorama basado en la flora y la fauna de la región de Gunflint Lake, Minnesota. Mis colegas y yo llegaremos a Minneapolis a principios de octubre y después nos dirigiremos en coche hasta el lago, que según tengo entendido, se encuentra a unas cinco horas de viaje. Dado que usted trabaja en la biblioteca del pueblo, le escribo esta carta con la esperanza de que pueda ayudarnos a investigar todos los elementos necesarios para crear el diorama. Tenemos intención de pasar unos dos meses en la zona, tiempo suficiente para estudiar el terreno y los animales, y nos encantaría colaborar con usted. A lo largo de ese tiempo, mi equipo y yo dibujaremos y fotografiaremos todos los detalles del paisaje. Por otro lado, estamos tratando de encontrar un lugar donde alojarnos, por lo que apreciaríamos enormemente cualquier sugerencia que quiera hacernos al respecto. Puede contactar conmigo en la dirección que indica el membrete.

Muchas gracias por adelantado,

Daniel Lobel, encargado de exposiciones.
Museo Americano de Historia Natural.

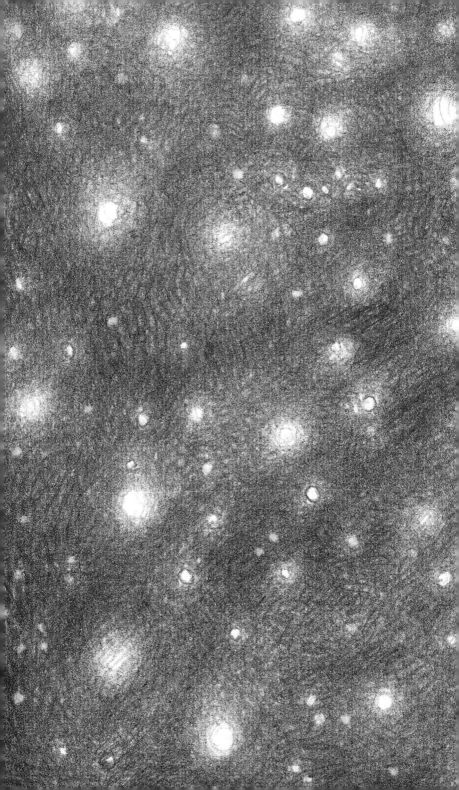

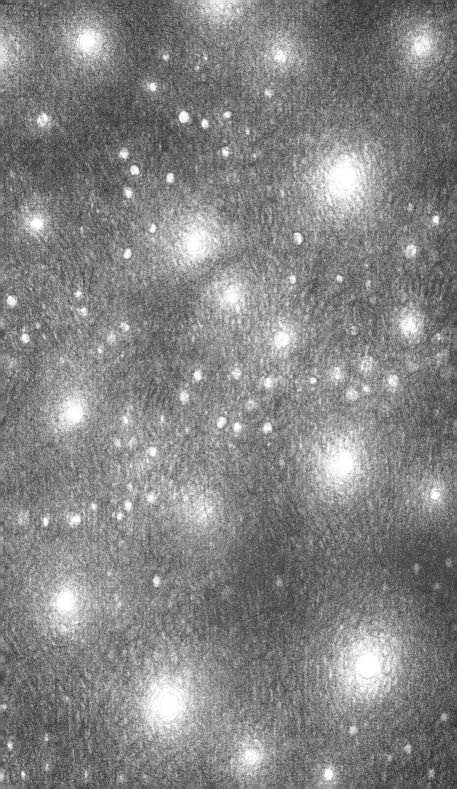

Ben atravesó el museo a la carrera hasta llegar al puesto de información del vestíbulo. Su corazón parecía a punto de estallar. Ignorando a la gente que esperaba en fila, se asomó al mostrador y gritó:

—¡Busco a Daniel Lobel! ¡Trabaja aquí!

La mujer comenzó a decir algo, pero Ben la interrumpió.

—Necesito encontrarle ahora mismo. ¡Es mi padre!

Los labios de la mujer volvieron a moverse, y Ben dedujo que le estaba preguntando si se había perdido.

—¡Por favor, búsquelo! —insistió.

Ella frunció el ceño y echó un vistazo a la larga cola de personas que esperaban para hacer una pregunta. Se caló las gafas y sacó un libro negro de uno de los cajones del escritorio. En la cubierta figuraban unas palabras estampadas en blanco: *Directorio del museo, 1976-1977*. Fue pasando páginas, se acercó el libro a la cara y entrecerró los ojos. Luego miró a Ben y movió la boca mientras negaba con la cabeza.

—¡Tiene que estar ahí! ¡Por favor, vuelva a buscarlo!

La mujer se llevó el índice a los labios y Ben se dio cuenta de que había gritado. La observó mientras pasaba el dedo por las páginas, giraba el libro hacia él y le mostraba dos nombres seguidos: «Lisky, Katherine» y «Logan, Michael». La mujer les dio unos golpecitos, indicando que el nombre de su padre debería estar en medio si trabajara para el museo.

Ben sintió que le abandonaban las fuerzas. La mujer cerró el libro, descolgó el teléfono, sonrió con gesto forzado y dijo algo. Ben la observó mientras hablaba, colgaba y le hacía un gesto con la mano para que esperara allí. ¿Habría llamado a alguien que conocía a Daniel? Esperó dando saltitos de impaciencia mientras la mujer atendía a las demás personas de la cola. Los minutos pasaban en el reloj que había tras el mostrador. Finalmente, la mujer le hizo un gesto a alguien que estaba al otro extremo de la sala. Ben se giró y, espantado, vio que un guardia se dirigía hacia ellos. A la velocidad del rayo, se escabulló entre la multitud y desapareció dentro del museo, con el corazón en un puño y un montón de ideas dándole vueltas en la cabeza.

Tal vez su padre ya no trabajara en el museo, pero tenía que quedar alguien que lo hubiera conocido.

Haciendo uso del juego de llaves de Jamie, Ben regresó al taller que habían explorado el día anterior. Empujó la puerta donde ponía: «Oh, vosotros los que entráis, abandonad toda esperanza», y se asomó. Dentro había tres personas jóvenes, dos hombres que trabajaban en sendas mesas y una mujer que vertía un líquido dentro de un molde, en una esquina de la estancia. Los tres levantaron la vista cuando Ben entró.

–Busco a Daniel Lobel. Trabajaba aquí. ¡Hizo el diorama de los lobos!

Los tres cruzaron miradas y negaron con la cabeza. Dos empezaron a hablar a la vez, y Ben se esforzó por captar lo que decían. Uno de ellos se levantó del escritorio y se acercó a Ben. Aunque no era capaz de leerle los labios, entendió perfectamente lo que le quería transmitir: ninguno de ellos conocía a su padre.

Antes de que llamaran a seguridad, Ben salió a escape de la sala y corrió tan rápido como pudo hasta llegar al diorama. Sin aliento, se dejó caer de rodillas y observó los ojos de los lobos. Parecían arder, llenos de secretos que Ben jamás conocería. Posó la mano en el cristal que le separaba de ellos y se imaginó que atravesaban el vidrio y lo devoraban de un bocado.

No hubiera sabido decir cuánto tiempo permaneció allí antes de regresar a su escondite. Los documentos de las carpetas estaban esparcidos por el suelo. Ben los releyó una y otra vez y se dio cuenta de que los datos sobre su padre desaparecían en 1969; debía de haber dejado de trabajar para el museo en aquella fecha.

Recorrió con las manos las estanterías desordenadas en busca de un buen sitio para ocultar las cuatro carpetas. Por primera vez se fijó en la ornamentación de las baldas: estaban talladas con todo tipo de volutas y diseños intrincados.

¿Por qué habrían decorado un almacén? De pronto, Ben recordó el pavimento ajedrezado. Apartó la manta de piel, agarró un trapo que había en un estante, frotó el suelo y ante sus ojos aparecieron más baldosas con el mismo diseño. Parecía que las hubieran pintado para imitar el mármol. Las examinó y luego volvió la vista hacia los estantes tallados. Aquella sala le resultaba extrañamente familiar.

Aunque llevaba varios días en aquella habitación, hasta aquel momento no la había visto realmente. Detrás de unos muebles amontonados en una esquina asomaba un objeto rectangular un poco más alto que él, cubierto por una sábana manchada de humedad. Se acercó para apartar los trastos, y al tirar de la tela se levantó una nube de polvo que le hizo toser. Debajo había un armario de madera lleno de cajones y portezuelas, cada uno con una miniatura pintada. En la parte superior tenía pegadas unas cuantas conchas rotas y algunos pedazos de coral. Ben lo observó cautivado, y al darse cuenta de lo que era, un cosquilleo le recorrió todo el cuerpo.

Las estanterías, el suelo, el armario... eran idénticos a la ilustración que había visto en *Maravillas*.

¡Estaba dentro del libro de su padre!

ras,

fter

De nada,

hermanita

fig. 26

Ben sacó de la maleta el ejemplar de *Maravillas* y lo abrió por la ilustración de la sala. Observó alternativamente el dibujo y el gabinete, y se descubrió examinando las conchas rotas que remataban el viejo mueble. Los colores y las formas le recordaban a algo, así que se acercó para inspeccionarlas. En la ilustración se veía que la corona de conchas y corales había sido muy alta, y que su base estaba decorada con todo tipo de detalles que el tamaño del dibujo impedía distinguir con claridad. Ahora quedaba muy poco de todo aquello, aunque el cemento conservaba algunas conchas pegadas. De la mayor parte solo quedaban huellas, como pequeños fósiles.

Ben detuvo la mirada en uno de los huecos. Muy despacio, como si estuviera sumergido en el agua, agarró su caja museo y la abrió. Sacó la tortuga de conchas y la colocó sobre la muesca. Sí: encajaba perfectamente. Parecía la última pieza de un rompecabezas misterioso que Ben no alcanzaba a comprender. ¿Cómo era posible que una tortuguita de conchas que formaba parte de una antigua exposición en Nueva York hubiera atravesado el país hasta llegar a su casa de Minnesota?

Intentó organizar sus ideas. ¿Habría pertenecido aquella tortuga a su padre? ¿Se la habría entregado a su madre? ¿Por eso ella se la había regalado a él? ¿Qué relación tenía su padre con aquella sala? ¿Por qué su madre guardaba tantos secretos? Sus ojos se posaron en las carpetas robadas y, al verlas, recordó que tenía que ocultarlas. Abrió el gabinete: estaba vacío. Con cuidado, depositó los papeles en el interior y se recostó en la piel.

Solo pensaba reposar un rato, pero al momento estaba corriendo por la nieve con desesperación. Alguien le agarró del pie y Ben chilló: «¡Para, Robby!». Se incorporó de golpe y abrió los ojos: ya debía de ser el día siguiente, porque delante de él estaba Jamie con su mochila verde al hombro. ¿Qué hora sería? Ben echó un vistazo al gabinete de maravillas. Su tortuga de conchas seguía enganchada en la parte superior.

–¿Llamaste a mis tíos? –preguntó en cuanto sus pensamientos se aclararon.

Jamie abrió mucho los ojos, como un ciervo deslumbrado por los faros de un coche, y dijo algo que Ben entendió perfectamente: «Se me olvidó».

–No importa –repuso aliviado–. No quiero irme todavía.

Aún aturdido por todo lo que había descubierto, empezó a hablarle a Jamie del diorama de los lobos, de su padre y de sus pesquisas, cada vez más entusiasmado a medida que le relataba cada hallazgo y cada decepción.

Jamie asentía de forma ausente, con la cabeza gacha.

–Puede que tu padre sepa de alguien que le conociera...

Jamie agarró el cuaderno y escribió: *Está trabajando.*

Ben lo miró con desaliento, y su amigo le dedicó una gran sonrisa y anotó algo más: *Tengo un regalo para ti.*

Sacó de la mochila un enorme libro amarillo. En la cubierta ponía: *Diccionario de lengua americana de signos. Editado por Noah Fabricant y Lydia Del Ono. Con más de 250 ilustraciones e índices para facilitar la consulta. ¡Aprenda AHORA la lengua de signos!*

Ben lo abrió para no decepcionar a Jamie y observó los diminutos dibujos de manos y brazos con flechas que apuntaban en todas direcciones. Parecía un libro de códigos secretos. ¿Cómo iba a aprendérselos todos? Hojeó el libro con nerviosismo y hacia la mitad encontró un marcapáginas. Para su sorpresa, Jamie se sobresaltó al verlo y se lo arrebató. Pensando que se trataba de un juego, Ben se lo quitó de nuevo y lo miró.

En la parte de arriba ponía «Kincaid Books».

Era idéntico al que tenía Ben: el mismo toldo a rayas, los mismos libros, el mismo gato... Solo la dirección era distinta. Ben levantó la vista, confuso.

–¿Hay otra librería Kincaid?

Jamie calló. Ben volvió a examinar el marcapáginas.

–Dime, ¿aún existe la librería?

La expresión de Jamie era indescifrable. ¿Por qué actuaba de forma tan rara? ¿Por qué no le miraba? Entonces Ben cayó en la cuenta.

–La otra noche te dije que buscaba la librería Kincaid y me contestaste que estaba cerrada. ¿Por qué no me dijiste que la habían trasladado?

Por fin Jamie escribió algo: *No lo sabía. Me enteré ayer.*

–Me estás mintiendo.

–No.

–Dime la verdad.

A Jamie le tembló la mano mientras escribía: *Es una estupidez.*

Ben señaló el cuaderno, ordenándole silenciosamente que no parara de escribir.

Me daba miedo que encontraras a tu padre, te fueras con él y no volvieras. Y también pensé que, si no lo encontrabas, volverías a Gunflint Lake y no te vería más.

–Pero entonces, ¿qué pensabas que iba a hacer? ¡No puedo quedarme aquí para siempre!

Ben vio que Jamie articulaba una frase: «Sí, ya lo sé». Después escribió: *Solo quería que te quedaras conmigo y que fueras mi amigo.* Se restregó los ojos y clavó la mirada en el suelo.

¿Y ahora qué se suponía que tenía que hacer Ben? ¿Consolarle y decir que no pasaba nada aunque le hubiera traicionado? ¿No sabía que él también quería ser amigo suyo? Pero un amigo de verdad le habría ayudado a buscar a su padre...

Jamie levantó la mirada, pestañeó y volvió a escribir con trazos enérgicos. Le había cambiado la expresión, y ahora parecía muy decidido.

Para que lo sepas, INTENTÉ decirte que la librería estaba en otro sitio el día que te conocí. Te señalé en qué direc-

ción está la tienda nueva, pero no me escuchaste y echaste a correr. ¿Cómo iba a saber yo que eras sordo?

Ben contempló las palabras, incapaz de entender su significado. Le parecía que el suelo se había abierto bajo sus pies y él había caído por el agujero.

Aturdido, recogió el cuaderno y el bolígrafo, se puso de pie y se dirigió al gabinete. Recogió su tortuga de conchas y se la guardó en el bolsillo, junto al nuevo marcapáginas.

Después, se dirigió hacia la puerta sin volver la vista.

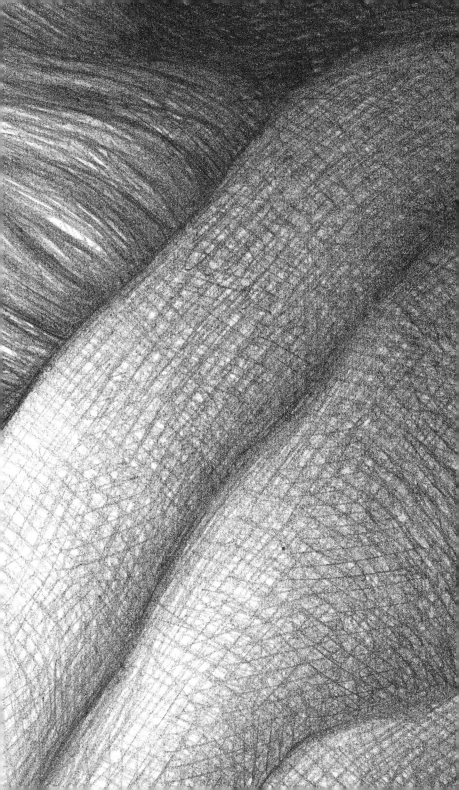

TERCERA PARTE

Ben llevaba varios días sin salir a la calle. Hacía un calor infernal en la ciudad, y cuando llegó a la librería Kincaid estaba sudando. La tienda era más grande de lo que esperaba. Los libros se acumulaban en las baldas, cubrían las mesas y se apilaban en montones tambaleantes. La luz del sol entraba a raudales por las cristaleras, haciendo que el polvo trazara espirales en el aire. El ambiente era fresco y olía a papel viejo y a pan recién hecho, ya que había una tahona al lado. En el centro de la tienda se alzaba una escalera de caracol con los peldaños llenos de libros. Conducía a una balconada también invadida por las estanterías.

No había clientes y el mostrador estaba vacío; el único rastro de vida era un gato negro que dormía junto a la caja registradora. Un maltrecho reloj que colgaba en una esquina mostraba las cuatro y cuarto.

Ben se secó la frente con la camiseta y se dirigió al mostrador.

–¿Hola? ¿Hola? –llamó, sin saber si estaba hablando en voz lo suficientemente alta. No apareció nadie, así que golpeó el mostrador con los nudillos. Solo reaccionó el gato, que saltó al suelo y salió disparado por las escaleras.

Ben decidió seguirlo, pensando que tal vez su dueño estuviera en el piso de arriba. Subió varios escalones, pero no parecía haber nadie arriba. Tenía sed y ni siquiera recordaba cuándo había comido por última vez. Le invadió una oleada de náuseas; por un instante pensó que iba a vomitar, así que se sentó en un peldaño y apoyó la cabeza en las rodillas. Recordó a Jamie, sacó su cuaderno y fue pasando páginas hasta encontrar las últimas frases que había escrito.

Solo quería que te quedaras conmigo y que fueras mi amigo.

Una ráfaga helada de aire acondicionado le hizo temblar. Levantó la cabeza, sin saber si quedarse sentado hasta que apareciera alguien o marcharse ya.

Ben la reconoció en cuanto entró en la librería: era la mujer que se había quedado mirando el diorama de los lobos el día en que había conocido a Jamie. La anciana se frotó la cara con un pañuelo y le dio un beso en la mejilla a un señor con gafas redondas que había aparecido detrás del mostrador. Ninguno de los dos dijo nada, pero de pronto sus manos comenzaron a revolotear. Ben tardó unos instantes en darse cuenta de que estaban hablando en lengua de signos.

Al cabo de un momento, el hombre volvió la cabeza hacia el teléfono, le hizo un gesto a la mujer y levantó el auricular. Ella continuó gesticulando mientras él hablaba por teléfono, y Ben supuso que solo la mujer era sorda. Le resultaba asombroso que el hombre pudiera mantener dos conversaciones a la vez. Los dos continuaron haciendo señas cuando el anciano colgó y se echaron a reír en varias ocasiones. A Ben le sorprendió la velocidad de sus manos y el agrado que traslucían sus caras; no se sentía capaz de aprender a signar tan rápidamente, por mucho que estudiara. Pensó en el alfabeto que le había enseñado Jamie, pero se quedó en blanco cuando intentó recordar las letras.

Agarró el cuaderno y el bolígrafo e intentó ponerse en pie, pero se le había dormido una pierna y, cuando quiso incorporarse, la rodilla cedió. Ben cayó por las escaleras y aterrizó de golpe en el suelo entre una avalancha de libros.

Levantó la mirada y vio los ojos aterrados de los dos ancianos. Cuando le ayudaron a incorporarse se le escapó un gemido. El viejo estaba diciendo algo, así que Ben meneó la cabeza y se señaló los oídos.

–No oigo.

Los dos comenzaron a hacerle señas y él negó de nuevo.

–No sé signar.

Miró a su alrededor hasta encontrar el cuaderno y el bolígrafo, que habían caído cerca. El anciano siguió su mirada y los recogió. *¿Te has roto algo?*, escribió. Ben estiró los brazos y las piernas.

–No, estoy bien –dijo, aunque la caída le había dejado revuelto–. ¿Me podrían dar un vaso de agua?

El anciano asintió y desapareció en la trastienda. Ben se dio cuenta de que la mujer se había quedado muy quieta y le examinaba con una expresión extraña, una mezcla de confusión, asombro y tristeza. El viejo regresó con el agua, y mientras Ben bebía, la anciana hizo unos signos y volvió a mirar a Ben. Se acercó a él y levantó el medallón que llevaba al cuello. Cuando Ben bajó la vista, vio que estaba abierto.

La anciana se cubrió la boca con la mano y se agarró al hombre mientras las lágrimas rodaban por sus mejillas. Se las secó con un pañuelo; luego acercó la mano a la mejilla de Ben y su pulgar le rozó la piel por un instante. Ben tenía mil preguntas en la cabeza, pero antes de que pudiera formularlas, la anciana agarró el cuaderno y el bolígrafo. Su mano se quedó un momento suspendida sobre el papel, temblando levemente. Entonces escribió algo y giró el cuaderno para que Ben lo viera.

¿Ben?

Las tibias manos de la mujer atrajeron a Ben. Lo abrazó con fuerza. ¿Qué estaba pasando?

–¿Cómo es que sabes mi nombre? –preguntó Ben apartándose.

La anciana pareció leerle los labios, pero de todos modos el hombre tradujo la pregunta a lengua de signos. Ella agarró el bolígrafo, se señaló a sí misma y escribió: *Rose*. Luego hizo un gesto con el bolígrafo hacia el anciano: *Mi hermano Walter*.

–¿Cómo es que sabes mi nombre? –repitió Ben–. ¿Conoces a mi padre?

Walter tradujo a signos las preguntas de Ben y Rose escribió en el cuaderno: *¿Dónde está tu madre?*

Ben no supo qué responder: explicárselo llevaría mucho tiempo.

Entonces recordó lo que le había escrito a Jamie. Fue pasando las páginas del cuaderno hasta encontrar la que buscaba y se lo tendió a Rose. Frotó el medallón con las yemas de los dedos y esperó a que los dos ancianos leyeran su historia.

Cuando terminaron, Rose volvió a abrazarle. Al principio Ben se resistió, pero acabó por dejarse ir y se dio cuenta de que el abrazo le reconfortaba, aunque la anciana fuera una desconocida. Rose se apartó secándose los ojos. *Siento mucho lo de tu madre*, escribió. *¿Saben tus tíos dónde estás?*

Ben negó con la cabeza.

¡Tienen que estar muy preocupados! Escríbeme su número de teléfono. Le hizo un gesto a su hermano y se llevó la mano a la oreja para indicarle que llamara.

Ben escribió el número, aliviado por la idea de que sus tíos supieran por fin dónde se encontraba.

¿Cómo nos encontraste?, escribió Rose.

Ben tenía los bolsillos repletos de cosas, pero rebuscó hasta encontrar los dos marcapáginas, el primero que había hallado y el que venía dentro del diccionario que le había dado Jamie. Se los mostró a Rose, y Walter y ella leyeron la nota que Danny le había escrito a Elaine en la parte trasera del primer marcapáginas. Entonces Ben se metió la mano en el bolsillo trasero del pantalón y extrajo una cosa más.

Cuando la anciana agarró el libro, Ben repitió:

–Por favor, dígame cómo es que sabe mi nombre.

Rose le leyó los labios y escribió: *Nos conocimos hace mucho tiempo.*

Ben se extrañó: estaba seguro de que, hasta el día del museo, nunca había visto a aquella mujer.

–¿Cómo nos conocimos? –preguntó Ben, y Walter tradujo sus palabras–. ¿Cuándo?

Es una larga historia, pero empieza aquí. Rose señaló la M roja que había en el reverso de la portada de *Maravillas.*

Walter trabajaba en el museo antes de abrir la librería, y me regaló este libro cuando yo era pequeña. Yo dibujé las rosas y las hojas a modo de firma.

–No lo entiendo. ¿Por qué pone una M si usted se llama Rose?

La anciana se volvió hacia Walter, que le tradujo las palabras que no había captado.

La M es de mamá, escribió.

–¿Usted es la madre de Danny? –dijo Ben, y en cuanto las palabras abandonaron su boca, se dio cuenta de lo que significaban.

El rostro de Rose cambió frente a sus ojos: de pronto, su piel, su pelo blanco y sus dedos finos ya no eran los de una extraña. *Eres mi abuela,* escribió Ben.

Rose se secó las lágrimas y sonrió, y Ben la abrazó de nuevo. Bajo la suave tela de su blusa, notó cómo sus costillas se agitaban al ritmo de la respiración. Unos instantes después, se apartó.

–¿Dónde está? He venido desde Minnesota para conocerle.

Walter tradujo, pero la anciana pareció perderse en sus pensamientos.

¿Qué sabes de él?, escribió al fin.

Ben comenzó a hablar; las palabras salían en tropel de su boca, pero aun así Walter era capaz de seguirle.

–Nada. Mi madre jamás hablaba de él. Después de que muriera, encontré *Maravillas* y vi la nota del marcapáginas. Así averigüé que se llamaba Daniel y que vivía en Nueva York.

Ben habló de su visita a la antigua casa de Daniel, y luego contó cómo había llegado al museo y cómo había encontrado allí el diorama de los lobos y los documentos.

–Encontré una carta que Daniel le había escrito a mi madre. Así supe que había trabajado en el museo, que fue él quien hizo el diorama y que se debieron de conocer cuando vino a Minnesota a investigar. ¡Pero no sé nada más!

Cuando Walter terminó de signarlo todo, Rose le respondió con un gesto. Luego asintió y escribió: *Voy a contestar a todas tus preguntas, Ben, pero primero dime si has comido.*

Ben negó con la cabeza; casi se le había olvidado el hambre que tenía. Walter fue a la trastienda y regresó con un sándwich, un vaso de zumo de naranja y un plato lleno de galletas saladas que Ben engulló.

Cuando terminó, Walter retiró los platos y se los llevó de vuelta a la trastienda después de intercambiar unas señas con Rose. Ella se inclinó sobre el cuaderno y escribió: *Vale. Contestaré a tus preguntas, pero aquí no. Tenemos que ir a un sitio en metro. Es un viaje largo. ¿Estás listo?*

–Sí. Pero ¿por qué no me lo puedes contar aquí?

Rose le leyó los labios y se encogió de hombros. Su rostro parecía triste y confuso, y Ben comprendió que lo único que podía hacer era seguirla y esperar a que le contara lo que quería saber.

¿Listo?

Ben acarició el medallón y asintió: estaba listo.

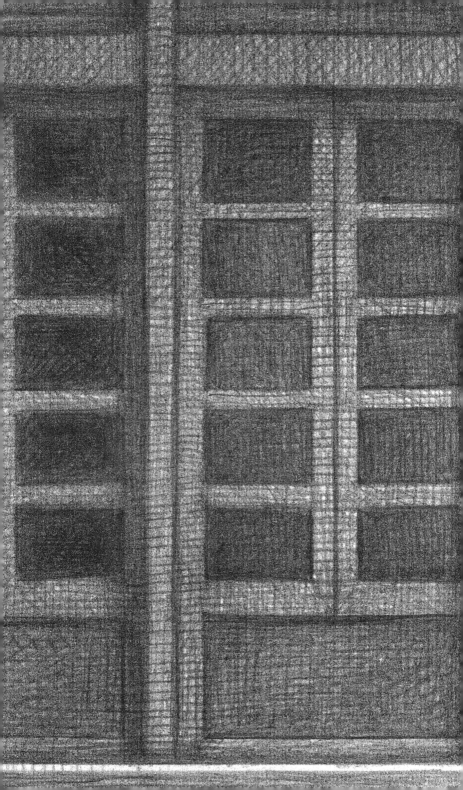

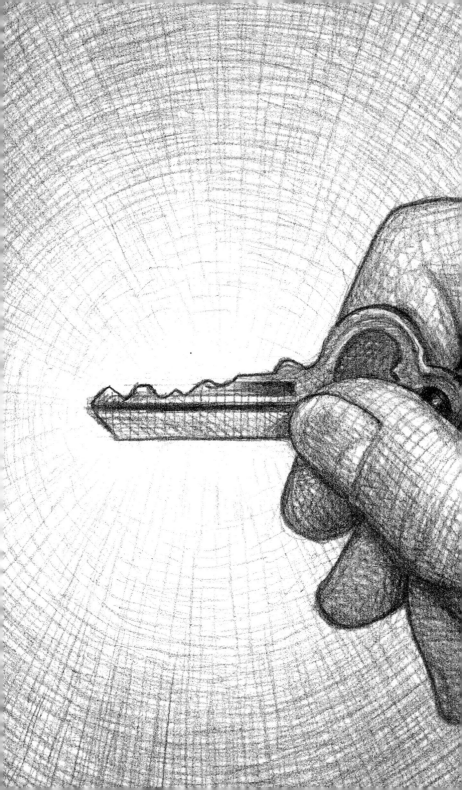

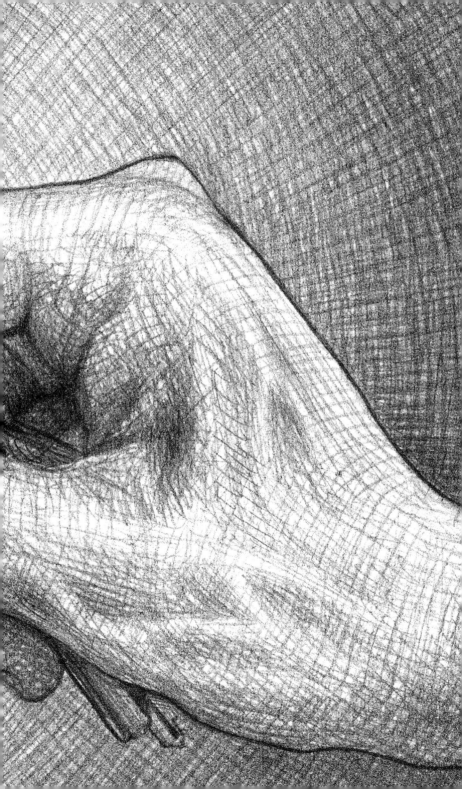

Cuando entraron en el vestíbulo del museo, Rose encendió las luces y le indicó a Ben con un gesto que se sentara en un banco. Hacía calor y el ambiente estaba cargado. Rose tomó asiento a su lado y sacó de su bolso el cuaderno y el bolígrafo.

Me va a llevar bastante rato escribir esta historia. Ten un poco de paciencia, ¿vale? Nunca se la he contado a nadie.

¿Una historia? Ben no quería leer ninguna historia: quería conocer a su padre. Aun así, asintió y fue leyendo a medida que Rose escribía.

Yo trabajé aquí durante quince años, pero lo que te voy a contar empieza mucho antes. Cuando era pequeña, veía Nueva York desde mi ventana, pero mis padres no me dejaban ir allí. ¡Decían que era demasiado peligroso que una niña sorda saliera de casa! Me aburría tanto que construí un Nueva York en miniatura dentro de mi habitación. Me escapé muchas veces hasta que Walter me rescató. Fui a buscarle al MAHN...

Ben le dio un toque en el hombro y señaló las letras MAHN: no sabía qué significaban.

Museo Americano de Historia Natural.

Ben asintió para animarla a que continuara.

Yo sabía que Walter había empezado a trabajar vendiendo libros en el museo, junto a la entrada de una exposición nueva.

Ben le dio un toque a Rose, imitó el gesto de abrir un libro y vocalizó la palabra «Maravillas».

Rose asintió.

Tenía doce años cuando escapé a Nueva York. Walter me encontró escondida en la sala de la exposición, me llevó a su piso y me regaló el libro. Desde entonces me han fascinado los museos y los gabinetes de maravillas. Le supliqué que me ayudara a marcharme de casa, lejos de nuestro padre. Quería quedarme en Nueva York y aprender cosas.

Mientras vivía con Walter, a menudo me asomaba por la ventana de noche para contemplar los gigantescos edificios de alrededor. Me parecían preciosos... Había pasado tanto tiempo mirando la ciudad desde Hoboken, al otro lado del río, que me emocionaba encontrarme allí por fin.

Walter me ayudó a buscar un colegio para niños sordos. ¡Yo ni siquiera sabía que existieran! Mi madre se había casado con mi padre cuando era muy joven, y dio a luz a Walter con diecisiete años. Yo nací ocho años después, y al poco mis padres se divorciaron. Fue todo un escándalo, porque mi madre era famosa; algún día te enseñaré mi álbum de recortes. Mis padres no querían dejarme marchar, pero mi hermano los convenció de que necesitaba ir a un buen colegio en el que supieran enseñar a los niños sordos.

No había conocido a ninguna otra persona sorda hasta que fui a aquel colegio.

Yo aún no lo sabía, pero era justo lo que había estado esperando. ¡Un montón de gente igual que yo! Desgraciadamente, no me gustaban las clases, porque nos obligaban a leer los labios y hablar en voz alta y yo detestaba hacerlo; nunca se me había dado bien. Tenía un profesor particular que me enseñaba a leer los labios, pero le odiaba. Una vez recorté su libro e hice edificios de papel con las páginas para no tener que practicar.

Pero los demás alumnos me enseñaron fuera de clase a hablar en lengua de signos, y eso me abrió todo un mundo. ¡Me podía comunicar e incluso hacer chistes! No sabía lo divertido que era bromear y reírse con otras personas. Nunca había sido tan feliz.

En ese colegio conocí al chico que acabaría siendo tu abuelo, Bill Lobel. Era el chico más guapo de la clase, fuerte y buen deportista. Al igual que muchos de mis compañeros, trabajaba en una imprenta. Por aquel entonces, la maquinaria de las imprentas hacía muchísimo ruido, algo que a los sordos no les molestaba; por eso muchos acababan siendo impresores. Después de graduarme, yo también empecé a buscar trabajo y Walter me ayudó a encontrar uno en el MAHN, en el departamento de exposiciones. Siempre me habían gustado los trabajos manuales, así que me encantaba trabajar allí haciendo miniaturas de asentamientos indios, aldeas mejicanas y medinas árabes.

Bill y yo nos casamos al poco de graduarnos. A mucha gente, y especialmente a nuestros padres, les parecía mal que dos *personas sordas se casaran. Les preocupaba que nuestros hijos heredaran la sordera, pero Bill se había quedado sordo por una enfermedad cuando tenía nueve años, y nadie sabía cómo ni cuándo me había quedado sorda yo. Puede que naciera así, aunque mi padre, que era médico, decía que era consecuencia de un golpe que me di cuando tenía dos años. A los padres de Bill, como a los míos, se les hizo muy cuesta arriba educar a un niño sordo. Tenían otros cinco hijos que oían perfectamente, así que no podían prestarle mucha atención a Bill. Pero cuando llegó al colegio, floreció igual que yo.*

Cuando me quedé embarazada, a menudo imaginaba cómo sería tener un niño sordo. Sabía que podría darle la educación que a mí me había faltado antes de ir al colegio. Pero no es fácil ser sordo, así que los dos nos pusimos muy contentos de que Danny pudiera oír. Sin embargo, nuestras familias se preocuparon aún más. ¿Cómo iban a criar dos padres sordos a un bebé «normal»? Nuestros padres decían que no podríamos oírle cuando llorara por las noches, fuera sordo o no. Además, les preocupaba que el niño nunca aprendiera a hablar. Y la verdad es que no fue fácil; pero con la ayuda de nuestros amigos, de la radio –que dejábamos encendida todo el día– e incluso, sí, de nuestros padres, lo conseguimos. Danny se convirtió en lo más importante del mundo para nosotros.

Rose hizo una pausa y se frotó la mano con la que escribía mientras Ben releía sus palabras. En aquel momento, para él solo existían el bolígrafo, el papel y aquella historia.

Aunque Danny podía oír, no creo que la vida resultara fácil para él. En muchos sentidos, estaba en la misma situación que Bill y yo de niños: éramos tan distintos a nuestros padres... Pero acabó por vivir cómodamente en los dos mundos, el de los oyentes y el de los no oyentes. Signaba de maravilla, mucho mejor que bastantes personas sordas. En cuanto fue lo bastante mayor, nos hacía de intérprete a Bill y a mí cuando lo necesitábamos. Jamás se quejó. Era un niño feliz, y lo que le hacía más feliz de todo era el arte.

Le encantaba dibujar animales y modelaba unas figuritas preciosas. Cuando era pequeño, iba mucho a verme al museo. Se sentaba a mi lado en el departamento de maquetas y trabajaba en sus pequeños proyectos mientras yo hacía los míos. Mis compañeros le enseñaron cómo funcionaba el museo y le mostraron todos sus recovecos, y pronto Danny se enamoró de la geografía, las ciencias y las matemáticas tanto como del arte. A menudo jugaba con los dioramas que estaban inacabados en las salas de almacenaje.

Ben se metió la mano en el bolsillo y sacó con cuidado la tortuga de conchas. Al verla, Rose abrió los ojos como platos, y Ben se dio cuenta de que sabía perfectamente lo que era.

Rose la sujetó con los dedos y le dio la vuelta antes de devolvérsela a Ben. Él la guardó y agarró el cuaderno y el bolígrafo.

Mi madre me regaló esta tortuga cuando empecé tercero. Me llamaba Tortuguita porque era muy tímido. Nunca me dijo que hubiera pertenecido a mi padre.

Rose sonrió y tomó de nuevo el bolígrafo.

Los administradores del museo nunca llegaron a desmontar la exposición «Maravillas». Después de que la cerraran, fueron pasando los años, la sala se llenó de polvo y acabaron por usarla de almacén. Tu padre solía esconderse en el gabinete y allí encontró esta tortuga. Le encantaba, siempre la llevaba en el bolsillo.

Ben sonrió e imaginó a su padre entregándole la tortuga a su madre en una fría noche de invierno. Se la guardó en el bolsillo y le hizo un gesto a Rose para que continuara.

Ella trazó una flecha hasta la frase «A menudo jugaba con los dioramas que estaban inacabados en las salas de almacenaje» y luego continuó escribiendo.

Algunos de mis compañeros le enseñaron a Danny paso a paso cómo se creaba un diorama. Él siempre supo que de mayor querría trabajar en el museo, y en cuanto tuvo edad suficiente, los responsables estuvieron encantados de contratarlo. Bill y yo nos sentimos tan orgullosos...

Yo seguí trabajando allí varios años, al lado de Danny. Pero llegó 1962 y comenzaron los preparativos para la Feria Mundial de 1964, que se celebraría en Queens.

En la feria iban a participar países de todo el mundo,
y habría espectáculos y atracciones de lo más diverso. Una
de ellas sería el Panorama, una maqueta a escala de toda
la ciudad de Nueva York, con sus cinco distritos. Iba a te-
ner más de 895.000 edificios; ocuparía casi un kilómetro
cuadrado, y sería la maqueta más grande que se hubiera
construido jamás. Evidentemente, hacía falta personal
especializado para diseñar y crear edificios, calles, plazas,
parques...

Cuando me ofrecieron el trabajo, acepté de inmediato. Me
entristecía marcharme del MAHN después de haber pasado

allí tantos años maravillosos, pero no podía dejar escapar aquella oportunidad.

De pequeña soñaba tanto con Nueva York que acabé montado una ciudad de papel en mi habitación; de alguna forma, llevaba toda la vida preparándome para ese trabajo. Trabajé en el Panorama de Nueva York durante dos años. Hice cientos de pequeños edificios, rascacielos, museos, tiendas... Era el paraíso.

Rose se detuvo para frotarse los dedos. Luego se levantó, agarró la mano de Ben y lo condujo a una sala amplia y oscura. Apretó unos botones en un panel de control disimulado en la pared y la luz inundó de pronto la gigantesca habitación.

El Panorama era una de las cosas más increíbles que Ben había visto en su vida. Los dos caminaron lentamente a su alrededor, y Ben trató de absorber cada detalle. Cuando llegaron al punto más alto de la rampa que rodeaba la maqueta, Rose se detuvo para continuar escribiendo.

Al cabo de unos años, las instalaciones construidas para la Feria Mundial se desmantelaron. Sin embargo, las autoridades decidieron mantener el Panorama abierto al público porque era muy popular. Y claro, hacía falta alguien que cuidara de la maqueta y la actualizara, construyendo versiones en miniatura de todos los edificios que se levantaban y retirando los antiguos cuando los derribaban. Me ofrecieron el trabajo.

Alrededor de ellos, la sala comenzó a oscurecerse. Ben miró a Rose con preocupación y ella sonrió.

Cada quince minutos anochece.

Millones de ventanitas coloreadas con pintura fosforescente se fueron iluminando en la oscura ciudad. La maqueta parecía resplandecer.

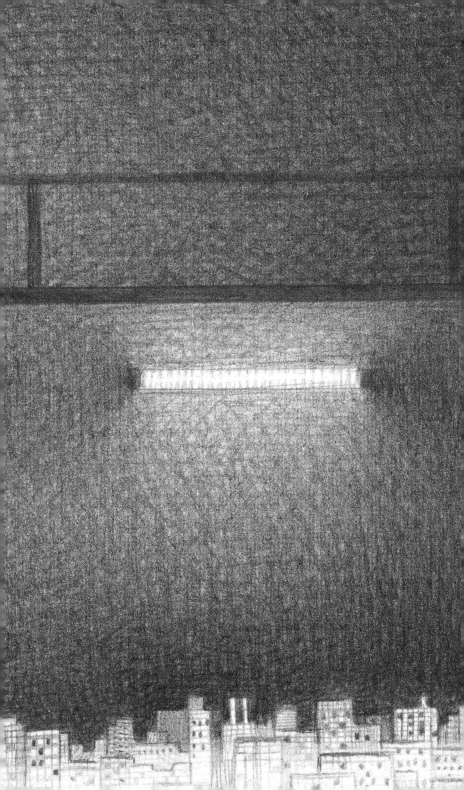

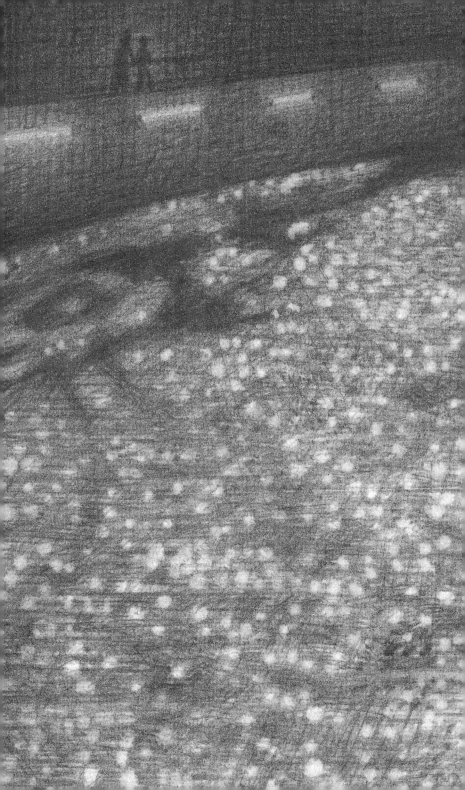

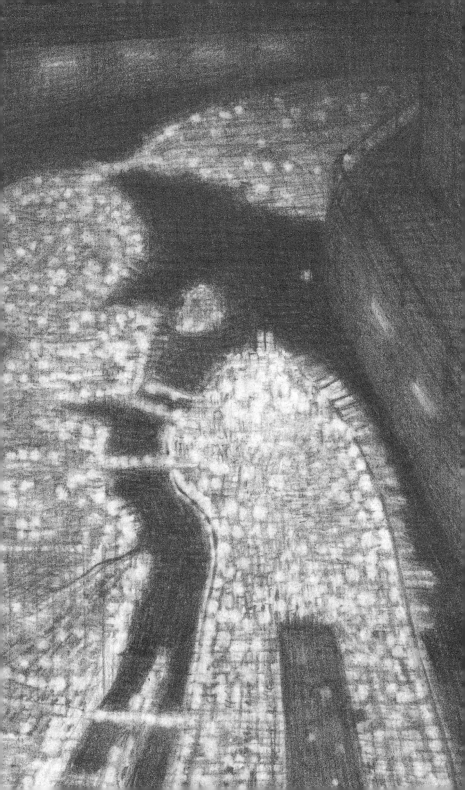

Rose volvió a guiar a Ben por la pasarela que rodeaba la maqueta, mientras el amanecer artificial se extendía sobre la ciudad en miniatura. Le fue escribiendo los nombres de las partes de la ciudad –Manhattan, el Bronx, Staten Island, Brooklyn y Queens–, y le señaló otro vestigio de la Feria Mundial de 1964: el Unisphere, aquel enorme globo terráqueo de metal que habían pasado de camino al museo. Le llevó hasta la miniatura del edificio en el que se encontraban, y también le mostró rascacielos, puentes, parques verdes, carreteras negras que serpenteaban, pantanos, cementerios, centrales eléctricas... Ben se sentía como un pájaro que sobrevolara la inmensidad en expansión de Nueva York.

Llegaron a una puerta en la que Ben no se había fijado antes, y Rose la abrió y le indicó a Ben que entrara. Bajaron un tramo de escalones que conducía a otra puerta. Rose la abrió también, y entonces, como dos gigantes, Ben y ella empezaron a caminar sobre el océano Atlántico.

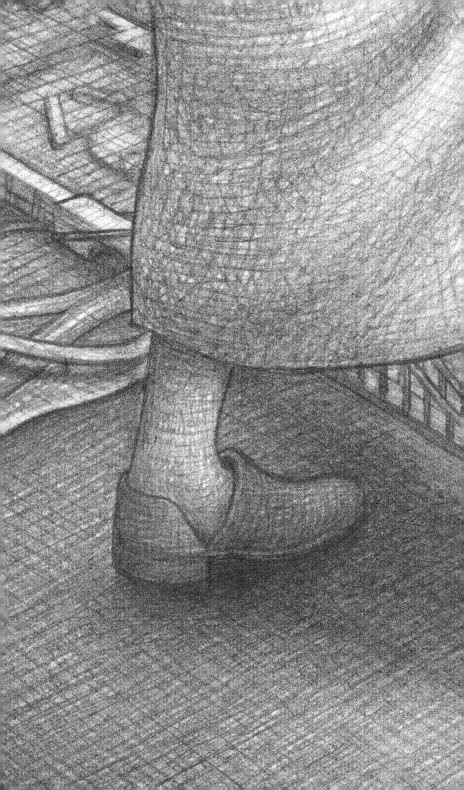

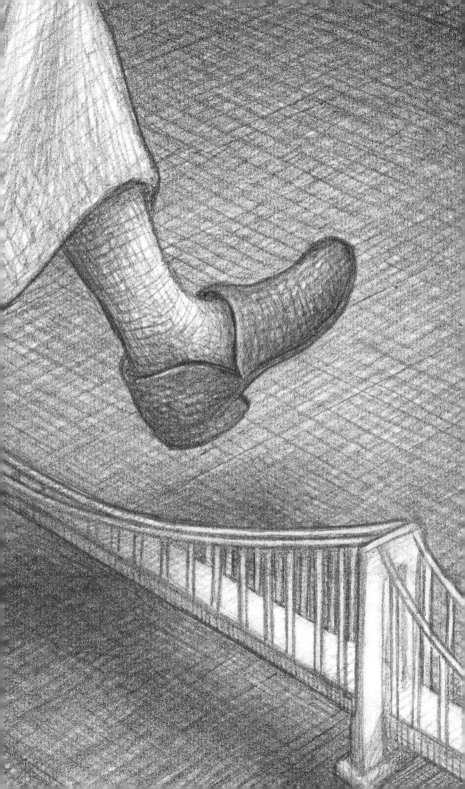

En medio del East River, después de pasar por encima de tres puentes más, Rose se detuvo para escribir. Ben se quedó junto a ella, entre Manhattan y Brooklyn, observando la maqueta hasta localizar Central Park, el Museo Americano de Historia Natural, el planetario Hayden y el distrito portuario.

De nuevo empezó a hacerse de noche, y Ben observó que algunas de sus ropas, el blanco de los ojos de Rose, sus dientes y el papel del cuaderno refulgían azulados bajo la luz ultravioleta. Los dos aguardaron sin moverse hasta que el sol eléctrico volvió a elevarse. Ben dirigió la mirada al cuaderno: Rose continuaba escribiendo.

Me encantó trabajar en la construcción de esta maqueta. A veces, durante los dos años que nos llevó hacerla, me quedaba cuando todos mis compañeros se habían marchado para estar a solas un rato con nuestra obra. Luego quedaba con Danny para contarle cómo marchaba el trabajo, y él me hablaba de sus últimos proyectos. Por aquel entonces le nombraron coordinador de diseño de un nuevo diorama para el MAHN; nunca había habido un coordinador tan joven.

Lo que viene a continuación ya lo conoces, Ben. Danny viajó a Gunflint Lake con otros dos empleados del museo. Sus compañeros decidieron alojarse en el hotel del pueblo, pero Danny quería disfrutar de más intimidad para trabajar. La bibliotecaria con la que se había puesto en contacto para que le ayudara en su investigación compar-

tía con su hermana la propiedad de una cabaña, y se la alquiló.

Ben se imaginó a su padre viviendo en la cabaña donde él había jugado con sus primos a los piratas y los monstruos, y se sintió feliz de haber pisado el mismo suelo y haberse sentado en las mismas sillas donde había estado él.

Danny pasó mucho tiempo en la zona y finalmente decidió centrar su trabajo en los lobos. Si has revisado los archivos, habrás visto muchos de sus dibujos. Otros me los envió a mí junto con unas cartas preciosas. Se había enamorado de tu madre en cuanto la conoció, y me la describía con todo detalle. Tu madre era diferente a todas las personas que Danny había conocido; en sus cartas decía que siempre había imaginado a las bibliotecarias como señoras mayores vestidas con jerséis de punto, pero que Elaine era joven y muy guapa, y que no le importaba lo que dijeran de ella. Decía que era radical, y creo que se refería a que vivía a su aire. Esa independencia lo cautivó, Ben. En sus cartas decía que Elaine rechazaba atarse a nadie, que era una mujer solo atada a su lago y a sus libros.

A Ben le resultó curioso que alguien a quien no había conocido describiera a su madre de forma tan precisa.

Sin embargo, los dos sabían que su historia no podía durar. Elaine nunca habría abandonado Gunflint Lake, y Danny no hubiera podido alejarse para siempre de Nueva York. Además, le daba la sensación de que Elaine no quería ni necesitaba un marido.

Decía que tenía todo lo que necesitaba en el lago y en la biblioteca. Danny pensaba que se sentía un poco sola, pero no estaba seguro de qué era lo que le faltaba.

Cuando terminó su trabajo en Gunflint Lake, regresó a Nueva York con el corazón roto. Creo que nunca fue más feliz que cuando estuvo allí, trabajando en el diorama al lado de tu madre.

Rose dejó de escribir por un momento y Ben contuvo el aliento hasta que el bolígrafo volvió a moverse.

No tardó mucho en acabar el diorama de los lobos. Fue el único que hizo. Todavía voy a visitarlo siempre que puedo.

Te vi el otro día, escribió Ben.

Rose pareció sorprendida.

¿Por qué no diseñó más dioramas?, continuó Ben, y mientras escribía empezó a intuir la respuesta.

Rose hizo una pausa y le miró a los ojos antes de agarrar el bolígrafo.

Tu padre estaba enfermo, Ben. Padecía del corazón. No sé si llegó a contárselo a tu madre. Gracias a su enfermedad se libró de ir a la guerra, y eso estuvo muy bien, pero unos años después de que regresara de Gunflint Lake, su corazón...

Rose no terminó la frase, pero a Ben no le hacía falta leer más. Se cubrió el rostro con las manos y dejó que se lo tragara la oscuridad.

Los brazos de Rose lo envolvieron y lo atrajeron hacia ella. Los dos se quedaron abrazados largo rato, casi inmóviles; solo sus pechos se movían al ritmo de la respiración. A Ben le daba la impresión de que Rose también estaba llorando.

Al fin, Ben se separó, se secó las lágrimas y miró a Rose.

—¿Sabía que tenía un hijo? —preguntó, y ella le leyó los labios.

No lo sé. Creo que no. Pero sé que te hubiera querido muchísimo. Disfrutaba del contacto con los niños; siempre quería atender las visitas de los grupos escolares al museo.

Rose le apartó el pelo de la frente, le enjugó las lágrimas y le ofreció el bolígrafo.

¿Por qué dijiste antes que ya me conocías? Si mi padre no sabía nada de mí, ¿cómo pudiste conocerme?

No he terminado mi historia, Ben. Hay una cosa más que me gustaría compartir contigo. Un secreto. Rose se detuvo un instante y Ben se acercó más a ella, ansioso por ver qué escribía a continuación.

El Panorama no es solo una maqueta de la ciudad: también es la historia de tu padre. Por eso te he traído aquí.

Ben contempló aquel sinfín de edificios diminutos. Volvió la vista hacia el cuaderno: Rose continuaba escribiendo.

Cuando acepté este trabajo, pensé que sería divertido personalizar en secreto el Panorama. Así que fui guardando cosas que habían pertenecido a tu padre, pequeños recuerdos, sobre todo de su infancia, y los escondí dentro de los edificios. Tal vez, en el fondo, fuera una forma de asegurar que algo suyo perdurara para siempre; yo ya sabía lo débil que era su corazón. En aquel momento, sin embargo, no veía de esa forma: simplemente quería a tu padre y me apetecía hacerlo por él y por mí. Cuando le hablé de mi proyecto secreto, me ayudó a prepararlo y me dio más objetos para que los ocultara. En cierto modo, esta maqueta cuenta la vida de tu padre en Nueva York. Es como si los dos hubiéramos construido nuestro propio gabinete de maravillas.

Ben recordó lo que había leído sobre los museólogos en *Maravillas*, y pensó en cómo sería conservar su propia vida igual que había hecho su padre allí. ¿Cómo escoger y seleccionar los objetos e historias que compondrían su gabinete personal? Si Ben quisiera contar su vida mediante objetos, ¿cómo lo haría? Entonces recordó su caja museo, su casa, sus libros, el escondite secreto, y se dio cuenta de que ya lo estaba haciendo. «Tal vez», pensó, «todos seamos un gabinete de maravillas».

Este es el hospital donde nació tu padre. Rose le señaló un edificio diminuto de ladrillo gris. *Dentro coloqué una foto en la que salimos Bill y yo con tu padre cuando solo era un bebé.*

Y aquí está su colegio. Indicó un edificio bajo de color blanco, cerca de un parque. *Ahí escondí uno de sus lápices.*

Rose continuó mostrando lugares de Manhattan, Brooklyn y Queens, mientras le contaba a Ben la historia de su padre y le explicaba qué objetos había guardado en los lugares que habían sido importantes para él. Bajo el rectángulo verde de Central Park había un penique de la suerte que Danny había encontrado paseando por allí; la noria de Coney Island, que Rose había recreado en miniatura, albergaba un amuleto de plata que Danny había ganado en la feria; uno de sus dientes de leche estaba metido en la tienda de comestibles donde se le había caído, hacía años y años...

La noche cayó de nuevo en la gran sala y Ben se fijó en un avioncito que despegaba de un aeropuerto diminuto. Ascendió hasta el techo por un alambre apenas visible, dio varias vueltas sobre la ciudad y aterrizó. Unos instantes después, volvió a repetir el trayecto.

Cuando se hizo de día, la maqueta ya no era una interminable sucesión de edificios desconocidos. Se había abierto ante los ojos de Ben y había cobrado vida y, por unos instantes, fue como si su padre también lo hiciera.

Ben contempló la miniatura del Museo de Historia Natural y le tocó el hombro a Rose.

–¿Qué hay ahí dentro?

Ella le indicó que la siguiera por el sur de Manhattan. Volvieron a pasar sobre los puentes de Williamsburg, Manhattan y Brooklyn, y subieron por el río Hudson hasta la superficie azul que separaba Manhattan de Nueva Jersey.

Rose se agachó sobre el lado oeste de Manhattan, agarró la miniatura del museo y tiró de ella. La maqueta ofreció algo de resistencia, pero acabó por ceder. Entonces, Rose le dio la vuelta al edificio y sacó dos papelitos. Desdobló el primero y le mostró a Ben un dibujo de lobos muy parecido a los del archivo del museo.

Es uno de los bocetos que me envió Danny.

Rose desplegó el otro papel: era un dibujo tosco, obviamente trazado por un niño, en el que se reconocía sin duda el diorama de los lobos. Ben miró la firma, asombrado: mostraba su nombre.

Cuando tu padre murió, celebramos el funeral en el museo. Yo conocía a todos los que asistieron salvo a dos personas: una mujer y un niño de unos tres o cuatro años. La mujer me saludó en lengua de signos y me dijo que se llamaba Elaine. Me contó que Danny había sido amigo suyo hacía años, que le había dicho que sus padres eran sordos y le había enseñado a hacer algunos signos.

Ben se quedó asombrado de que su madre supiera signar. Jamás se lo había dicho, aunque ahora que lo pensaba, la había visto algunas veces mover las manos mientras estaba sentada en el sofá, cuando creía que nadie la miraba. ¿Se estaría comunicando con Danny en secreto?

Enseguida me di cuenta de quién era. Me presentó a su hijo, y me llamó la atención lo mucho que se parecía a Danny cuando era pequeño. Elaine me dijo que había visitado el museo con su hijo y que habían ido a ver el diorama de Danny.

Por supuesto, ese niño eras tú. Tu madre te apretó la mano y tú te sacaste del bolsillo un papel doblado. Me lo entregaste, lo abrí y empecé a llorar: habías dibujado a los lobos. Me dijiste que podía quedarme con el dibujo.

Ben no se acordaba de nada, pero aquella historia hacía que todo tuviera sentido: su afán coleccionista, su interés por los museos, sus sueños de lobos... El dibujo de su vida empezaba a cobrar nitidez, como las fotografías Polaroid que sacaba Jamie. Sus sueños no habían salido de la nada: en realidad, soñaba con los lobos de su padre porque los había visto con sus propios ojos.

Recordó sus últimos sueños, tan silenciosos; en ellos ya no estaba seguro de que los lobos se encontraran detrás de él. Y de pronto, comprendió que nunca le habían perseguido: en realidad, lo habían guiado por la nieve hasta llevarlo con su padre.

Cuando Rose metió los dos papeles dentro de la maqueta del museo, Ben se llevó la mano al bolsillo y sacó la tortuga de conchas.

—¿Puedes dejarla ahí también?

Ella le sonrió, y Ben le tendió la tortuga con delicadeza para que la guardara con los otros dos tesoros. Luego, Rose devolvió el museo al Panorama y continuó escribiendo.

Elaine nunca me dijo que fueras hijo de Danny, pero Bill y yo no podíamos quitárnoslo de la cabeza. Yo recordaba cómo la había descrito Danny, y me di cuenta de que tal vez no quisiera tener un marido pero sí quisiera tener un hijo. Puede que eso fuera lo que le faltaba: tú.

Ben parpadeó y respiró hondo.

Si su madre sabía qué era echar algo en falta, ¿por qué nunca había hablado con Ben de lo que le faltaba a él? ¿Le daría miedo que quisiera marcharse de Gunflint Lake, como había hecho Danny? ¿Le habría preocupado descubrir que a su hijo le gustaba coleccionar objetos, que le interesaban los museos, que tenía tanto en común con su padre? Tal vez le hubiera ocultado la verdad para protegerlo, o quizá se estuviera protegiendo a sí misma para no perderle. Fuera como fuese, Ben sintió que ahora podía comprenderla.

Tu madre prefirió no compartirte, pero Bill y yo no dejábamos de pensar en ti. Así que una noche nos colamos aquí y guardamos tu dibujo en el museo.

–¿Dónde está Bill? –vocalizó Ben tras darle un toque en el hombro a Rose. Ella le acarició la mano antes de continuar escribiendo.

Murió hace dos años; ojalá le hubieras conocido. Era divertidísimo, le gustaba hacer bromas y le encantaba leer. Estaba muy orgulloso de la imprenta en la que trabajaba, y adoraba a Danny. Te habría querido con locura.

Rose meneó la cabeza y pareció reírse entre dientes.

¡Ay, Ben! ¡Todos estos años me he preguntado si sería verdad, si tendríamos un nieto, si realmente serías hijo de Danny!

Ben acercó la mano a su mejilla y se la acarició lentamente. Le resultaba extraño tocar la cara de su abuela; de algún modo, sentía que aquella piel era una extensión de la suya y de la de su padre. Pensó en lo mucho que echaba de menos el contacto de su madre. ¿Habría planeado viajar con él a Nueva York? ¿O habría ocurrido todo aquello por accidente? Y entonces, Ben cayó en la cuenta...

¿Qué día es hoy?, escribió.

13 de julio. ¿Por?

Mañana es mi cumpleaños.

A Rose le brillaron los ojos.

¿Me enseñarás a signar?, escribió Ben.

Rose levantó la mano derecha y subió y bajo el puño varias veces mientras asentía. Ben lo entendió y se echó a reír.

Gracias por ser tan valiente, escribió Rose. *Tus padres habrían estado muy orgullosos de ti.*

De pronto, la sala se sumió en una oscuridad absoluta.

Las luces ultravioletas no se habían encendido; todo estaba en tinieblas. Ben sintió que una oleada de pánico se apoderaba de él. ¿Qué pasaba? El mundo entero parecía haberse desvanecido, dejando solo la mano de su abuela y el suelo que había bajo sus pies. Ben intentó distinguir la ciudad en miniatura que se extendía a su alrededor; un solo movimiento en falso y destrozaría un puente o una manzana de edificios. Le preocupaba caerse o, peor todavía, que se cayera Rose. ¿Cómo podría pedir ayuda?

Rose le apretó la mano y le instó a que se moviera. Se desplazaron a tientas, tan ciegos como si los hubiera cubierto una cortina de terciopelo negro. Durante una fracción de segundo, un relámpago iluminó la entrada del Panorama, que daba a la puerta principal del museo. Debía de haber estallado una tormenta. Ben se estremeció y rezó por que al edificio no le alcanzara ningún rayo.

Avanzaron a pasitos por el curso del río. Ben se secó la cara con el borde de la camiseta. Con los brazos extendidos, continuaron abriéndose camino por la oscuridad, tratando de no aplastar ningún puente ni edificio. Al cabo de lo que parecieron horas, se toparon con una pared y fueron palpándola hasta que Ben localizó la puerta gracias a otro relámpago. Subieron uno a uno los escalones oscuros y llegaron a la pasarela que bordeaba la maqueta. A lo lejos cayó otro relámpago que iluminó la entrada.

La oscuridad se disipó un poco cuando salieron de la sala del Panorama y se internaron en el vestíbulo. A Ben le latía la cabeza. Un fogonazo deslumbrante iluminó la antesala y Ben se agarró a Rose, cegado por unos instantes.

Y entonces los rayos cesaron bruscamente. Cuando los ojos de Ben se acostumbraron a la oscuridad, entendió lo que ocurría. No había tormenta ni relámpagos: el responsable de los fogonazos era Jamie, que estaba al otro lado de la puerta de cristal haciendo aspavientos. Ben se dio cuenta de que llevaba un rato intentando atraerlos con el flash de la cámara, ya que no podía llamar su atención haciendo ruido. A sus pies había varias fotografías en diversos estados de revelado.

Ben se apresuró en llegar a la puerta y le indicó a Rose que la abriera. Aunque ya era de noche, las farolas estaban apagadas, y la luz del vestíbulo tampoco se encendía. Rose sacó la llave del bolso y abrió la puerta, y Jamie la miró asombrado por un momento antes de lanzarse a abrazar a Ben.

–¿Cómo has llegado hasta aquí? –le preguntó Ben.

–Te he seguido –vocalizó Jamie.

Rose indicó a los chicos que entraran, cerró la puerta y echó la llave. Luego los condujo por largos corredores y escaleras en penumbra hasta que, para sorpresa de Ben, llegaron a la azotea.

Se sentaron cerca del borde y tomaron aliento. La brisa cálida agitó sus cabellos mientras paseaban la mirada desde el río hasta Manhattan.

Ben se asombró al ver que el apagón afectaba a toda la ciudad. El horizonte parecía la silueta de una miniatura; la única diferencia entre el Panorama que habían dejado atrás y la ciudad auténtica era el firmamento que se elevaba magnífico sobre sus cabezas.

Los ojos de Jamie iban de Ben a Rose y luego a Ben de nuevo. Ben se dio cuenta de que quería decirle algo a Rose, pero ella estaba rebuscando en su bolso y no se daba cuenta. Al fin sacó el cuaderno y el bolígrafo, escribió una frase y se lo tendió a Jamie con una sonrisa de curiosidad. Las palabras apenas eran legibles a la luz de la luna.

¿Quién eres?

Ben leyó por encima del hombro de Jamie.

–Creo que puedo responder a eso.*

---

* Las ilustraciones que aparecen en las siguientes páginas responden al alfabeto en lengua americana de signos, y deletrean en inglés dos palabras que aparecen más adelante en el texto. (N. de la E.)

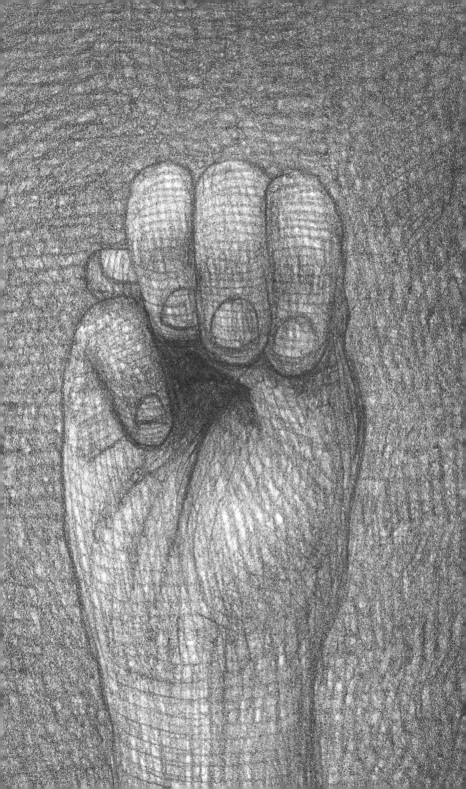

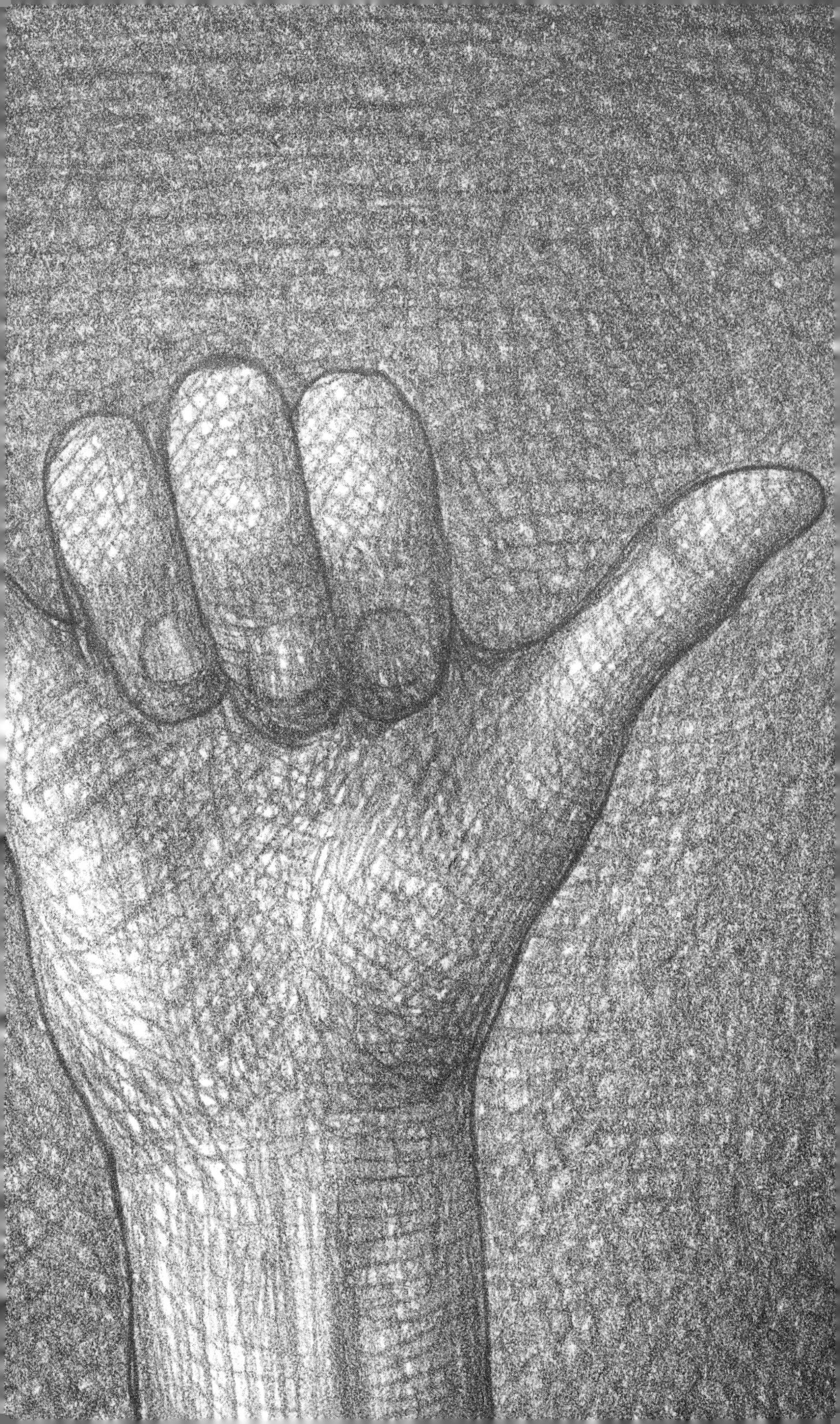

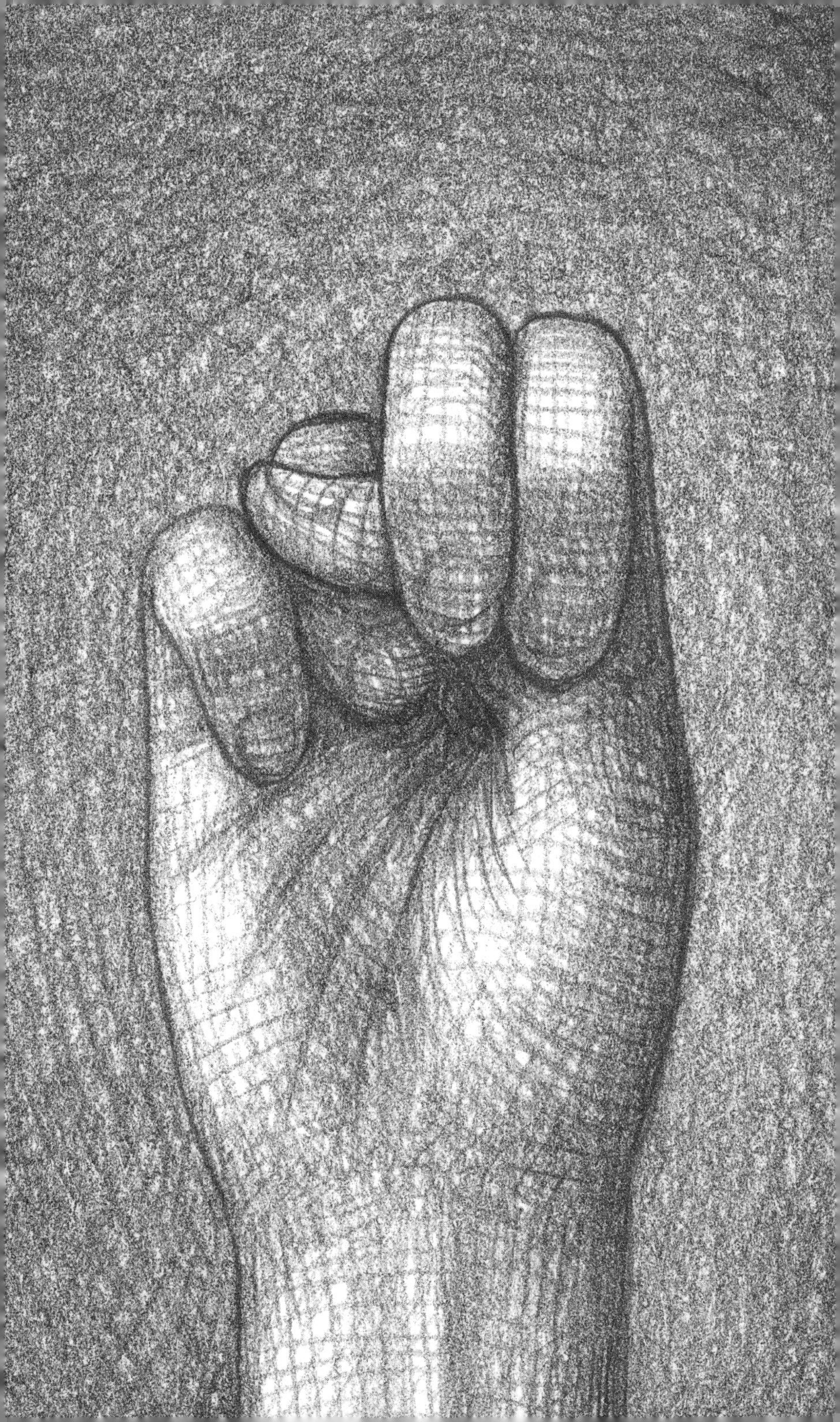

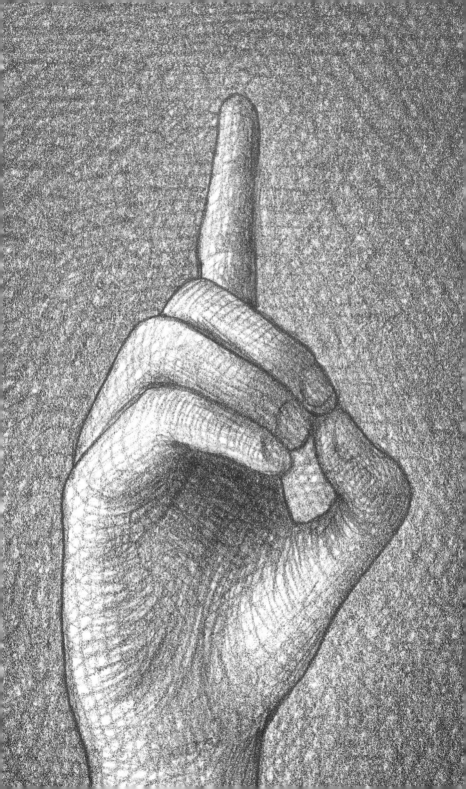

Ben notaba cómo las letras vibraban en sus dedos a medida que las trazaba: «Mi amigo».

Jamie sonrió y signó su nombre, y Rose le estrechó la mano.

—Esta es Rose, mi abuela —dijo Ben.

Jamie se quedó boquiabierto al oírlo, pero enseguida esbozó una de sus sonrisas pícaras y Ben se dio cuenta de que no sabía si creérselo.

—¿En serio? —preguntó Jamie.

Ben abrió el cuaderno y le enseñó todo lo que había escrito Rose.

—Luego te lees esto. Aquí se explica todo.

Mientras pronunciaba aquellas palabras, se dio cuenta de lo ciertas que eran: aquel cuaderno no solo contenía la historia de su padre y sus abuelos, sino también la de su madre, que él mismo había escrito para Jamie, y la de su vida con sus tíos y sus primos, y también la historia de los padres de Jamie y el museo, y fragmentos de casi todas sus conversaciones.

Ben pensó en todas las casualidades que le habían llevado hasta allí y se maravilló de la forma en que podía seguirles la pista, como si fueran una ruta trazada en un mapa del tesoro. El camino empezaba con un libro, una tortuga y una exposición antigua, pasaba por Walter, Rose, Danny y Elaine, y finalmente llegaba hasta él.

Y, por supuesto, Ben jamás habría descubierto aquel camino de no ser por Jamie.

El mundo estaba lleno de maravillas.

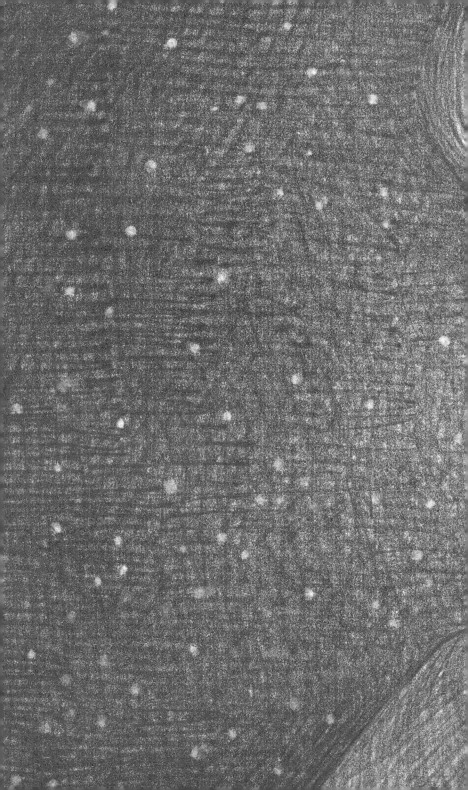

–¿Tu padre sabe dónde estás? –le preguntó Ben a Jamie, y este negó con la cabeza–. ¡Se va a preocupar mucho por ti!

Buscó una hoja en blanco y escribió:

¿Cuánto durará el apagón? Jamie olvidó decirle a su padre dónde iba.

Rose lo leyó y observó a Jamie por un instante.

Mi hermano sabe dónde estamos, contestó. *Vendrá a buscarnos con el coche y le llevará a su casa. No te preocupes. Ahora lo único que podemos hacer es esperar.*

Acercándose a su amigo, Ben le pasó un brazo por los hombros y Jamie sonrió.

Ben contempló el perfil irregular del horizonte y se preguntó qué estaría sucediendo en aquella ciudad sin luz eléctrica. Había pasado mucho miedo durante el apagón en Minnesota, cuando se quedó atrapado en su casa por culpa de la tormenta; pero si no hubiera sido por eso, no habría tratado de leer *Maravillas* a la luz de la linterna y no habría encontrado el marcapáginas. Se imaginó a todos los habitantes de Nueva York leyendo con una linterna en la cama y pensó con asombro en la cantidad de cosas que habían ocurrido entre los dos apagones.

Aunque estaba seguro de que Walter ya habría llamado a sus tíos, Ben deseó que no lo hicieran regresar a Gunflint Lake de inmediato. Rose le había mostrado el Panorama y la vida de su padre, y ahora estaba listo para explorar la ciudad. Tal vez pudiera quedarse con su abuela durante un tiempo, o tal vez pudiera pasar allí los veranos, como Jamie. Pasara lo que pasara, Ben sabía que allí había un lugar para él, junto a su amigo, su abuela y los millones de personas que esperaban en la oscuridad a que regresara la luz.

Jamie se apoyó contra Ben y Ben contra Rose, y los tres se quedaron sentados en la azotea del museo, mirando las estrellas.

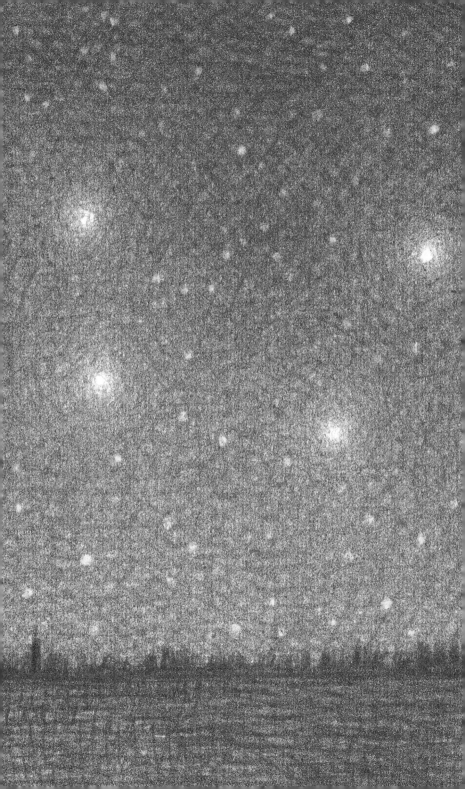

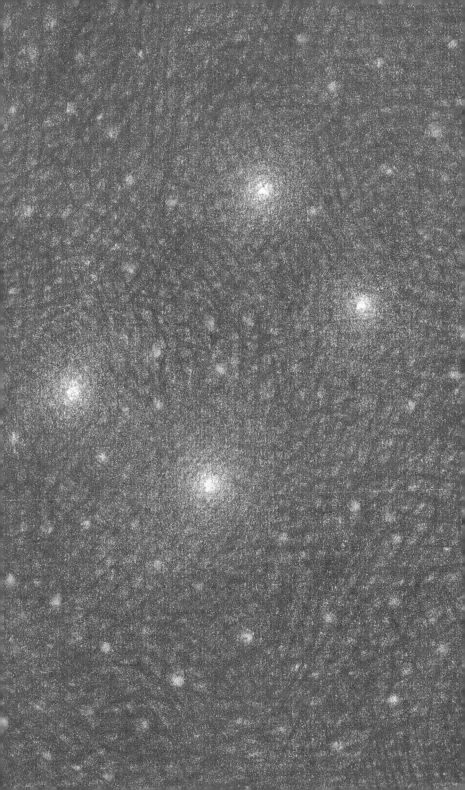

N

AGRADECIMIENTOS

Mientras estaba trabajando en *La invención de Hugo Cabret*, vi un documental llamado *Through Deaf Eyes* sobre la historia de la cultura sorda en Estados Unidos.

Me fascinó la parte que hablaba del cine y de cómo el sonido se introdujo en las películas en 1927. Antes de aquello, oyentes y no oyentes podían disfrutar juntos del cine. Esa idea fue el germen de la historia de Rose. Aquel documental también incluía una entrevista con un joven sordo que fue criado por padres oyentes, como otras muchas personas con discapacidad auditiva. Hasta que no llegó a la universidad y conoció a otros sordos, no se sintió parte de una comunidad. Eso me fascinó, y me atrajo la idea de que alguien buscara su identidad fuera de su familia biológica.

La semilla de *Maravillas*, sin embargo, la plantó hace muchos años mi amigo Sean Murtha, que trabajaba en el Museo Americano de Historia Natural de Nueva York. A principios de los noventa me llevó a recorrer todas las secciones del museo; yo me quedé maravillado y pensé: «Algún día tengo que ambientar aquí una historia».

Le estoy muy agradecido a Sean y a todas las personas que me ayudaron a documentarme para escribir *Maravillas*, tanto Carl Mehling, el administrador de las colecciones de fósiles de anfibios, reptiles y aves del departamento de paleontología, como Tom Baione, Mary DeJong, Kathleen Maguire, Barbara Mathé, Mai Qaraman, Stephen Quinn, Eleanor Schwartz y Ellen Silberman, que también me ayudaron con mi investigación en el MAHN.

Mis dibujos del museo están basados en imágenes de archivo de 1927. Durante mi investigación, encontré o recreé los auténticos planos del museo en 1927 y en 1977 para saber dónde se encontraba cada cosa en su momento, pero cuando la narración lo requería, cambié cosas o las moví. Por ejemplo, en 1927 el Ahnighito estaba situado en la sala que daba a la calle Setenta y Siete; pero como yo quería que Rose vagara por el museo un rato antes de encontrarlo, decidí desplazarlo (para mí fue mucho más fácil que para los administradores del museo, que han tenido que trasladarlo varias veces). También localicé un informe auténtico del museo en 1927 y me inspiré en él para escribir la introducción del ejemplar de *Maravillas* de Ben. Además, algunas de las pinturas murales del museo se basan en el trabajo de Charles R. Knight.

Deidre Scherer, una artista textil que vive en Vermont, se crio yendo al MAHN para visitar a su padre, Fred, que trabajaba allí desde los años treinta. Deidre compartió conmigo recuerdos de cuando trepaba por los dioramas que su padre estaba preparando. Mi amigo Sevanne Martin iba en los años setenta al museo para visitar a su abuela

Margaret Mead, la famosa antropóloga, que tuvo allí una oficina durante muchos años. Vanni también me puso en contacto con su madre, la doctora Catherine Bateson, que me relató sus recuerdos de cuando visitaba el museo de niña.

Durante muchos años, mi diorama favorito fue el de los lobos de la sala de mamíferos norteamericanos. Acabé por aprender muchas cosas acerca de James Perry Wilson, el artista que pintó el fondo de la instalación, y le di su apellido a Ben. También he visitado Minnesota para ver con mis propios ojos el paisaje retratado en el diorama, y me encantó comprobar que el pueblo más cercano a Gunflint Lake, Grand Marais (que está a una hora de camino), es una colonia de artistas. La bibliotecaria del pueblo, Anne Prinsen, me habló de la vida en la zona y nos llevó a mi pareja y a mí a recorrer el lugar, incluida la biblioteca y otros muchos sitios que mis personajes habrían conocido bien. Anne me presentó a una ilustradora infantil de la zona, Betsy Bowen, que nos relató muchas historias interesantes de Grand Marais. Lo mismo hizo Stephen Hogeland, un joyero al que alquilamos una habitación. Ningún habitante del pueblo parecía saber que en un museo de Nueva York, protegido por un cristal, hay un pedazo de su rincón de Minnesota congelado para siempre bajo la luz azul de una luna artificial.

El hotel de Gunflint donde trabajan los tíos de Ben pertenece desde 1929 a la familia de Bruce Kerfoot y su esposa

Sue. Ellos me contaron que la región de Gunflint Lake se formó hace miles de millones de años por el impacto de un meteorito. Aunque esto no se supo hasta hace poco, decidí que Ben lo supiera en la década de los setenta, ya que encajaba muy bien en mi historia.

Mark Jirsa, del Servicio de Inspección Geológica de Minnesota, me reveló muchos detalles acerca del meteorito y las piedras de la zona. De nuevo en la costa este, David Levithan me hizo un recorrido por su ciudad, Hoboken, en Nueva Jersey, y me llevó a la Sociedad Histórica de Hoboken y al Instituto Stevens de Tecnología. El modelo que usé para la casa de Rose se puede ver en el campus de la ciudad, sobre un risco con vistas a Manhattan.

Cary Stumm, del Museo del Transporte de Nueva York, me ayudó a describir con precisión el metro y los trenes elevados de los años 20.

Hace cuatro años visité por primera vez el Museo de Arte de Queens y me enamoré del Panorama. Louise Weinberg y Arnold Kanarvogel me mimaron con una excursión por la superficie de la maqueta. Tom Finkelpearl, el director ejecutivo del museo, también me ayudó mucho con este proyecto desde el principio.

El apagón que describo al final tuvo lugar el 13 de julio de 1977, igual que en mi historia. Ben no podía saber en aquel momento por qué se produjo, pero más tarde descubriría que un rayo había alcanzado la red eléctrica.

La doctora Mary Ann Cooper, una de las mayores especialistas del país en lesiones causadas por rayos, leyó mi manuscrito y me ayudó a entender cómo es el impacto de un rayo y las consecuencias que tiene en quien lo sufre. Mi hermano, el doctor Lee Selznick, nació sordo de un oído, como Ben. Fue fascinante hablar con él de todo esto, y muchas de las observaciones y pensamientos de Ben pertenecen a mi hermano.

Como tenía claro que mis dos personajes protagonistas serían sordos, quería averiguar todo lo que pudiera sobre la cultura sorda. Así, he leído libros, realizado entrevistas y mantenido conversaciones con personas sordas y con expertos en su cultura. Carol Padden (miembro de la fundación MacArthur desde 2010) y su marido Tom Humphries, compañeros de mi pareja en la Universidad de California y dos de los mayores expertos del país en la cultura y lengua de las personas sordas, tuvieron el detalle de leer el manuscrito en diversas etapas y compartieron conmigo los recuerdos de su infancia. Me ofrecieron información muy valiosa acerca de la historia de la cultura sorda, y me indicaron en qué textos podía basarme para hacer la introducción del libro que destroza Rose (y que yo inventé), el *Manual de lectura de labios y habla para sordos*. También me ayudaron a entender mejor cómo Ben y Rose podrían relacionarse con el mundo exterior. Rick Rubin, que trabajó como intérprete de Carol y Tom durante muchos años, supuso una gran ayuda durante este proceso, especialmente cuando Tom me llevó a conocer los archivos del colegio 47, una escuela pública para personas sordas de Manhattan. Lloyd Shikin, archivero y antiguo alumno, nos llevó a un aula en la que había una especie de pequeño museo con fotografías, artículos de periódico y multitud de objetos acerca de la educación de los sordos desde los años veinte.

Amara Engel me contó cómo se había criado signando, leyendo los labios y hablando en voz alta. Me dijo que soñaba en lengua de signos, y aquella conversación me resultó muy inspiradora. Rebecca Freund, una joven artista, leyó el manuscrito y compartió conmigo algunas reflexiones importantes sobre lo que es crecer siendo sordo. Susan Burch, profesora asociada de Estudios Americanos en la Universidad Middlebury, habló conmigo sobre la historia de la cultura sorda, y Emily Thompson, profesora de historia en la Universidad de Princeton, me ofreció datos muy valiosos sobre la transición del cine mudo al sonoro. Michael Olson, especialista en conservación de archivos de la Universidad de Gallaudet, también me ayudó. Y sería un descuido no mencionar a Remy Charlip, cuyo libro *Handtalk* me enseñó el alfabeto de signos cuando tenía diez años.

Por supuesto, cualquier historia acerca de unos niños que se escapan y van a un museo le debe mucho a E. L. Konigsburg y a su libro *From the Mixed-up Files of Mrs. Basil E. Frankweiler*. En compensación, *Maravillas* está lleno de referencias a Konigsburg y a su libro. ¿Sois capaces de encontrar alguna?

Otros dos libros, escritos ambos por Pam Conrad, me sirvieron también de inspiración. Son *My Daniel*, sobre una anciana que lleva a su nieto al Museo Americano de Historia Natural y le muestra el esqueleto de un dinosaurio que descubrió junto a su hermano en Nebraska cuando eran jóvenes, y *Call Me Ahnighito*, ilustrado por Richard Egielski, una historia contada desde el punto de vista del meteorito.

La cita «Todos estamos en el fango, pero algunos miramos a las estrellas» pertenece a la obra *El abanico de Lady Windermere*, de Oscar Wilde.

Muchos amigos y colegas leyeron mi historia y me ayudaron de una forma u otra. Me gustaría dar las gracias a Leslie Budnick, Michael Citrin, Deborah deFuria, Dan Hurlin (la estructura de *Maravilla* se inspira en su obra *Hiroshima Maiden*), Wendy Lukehart, Michael Mayer, Peter Mendelsund, Ida Pearl, Pam Muñoz Ryan, el doctor Edward Spector, Sarah Weeks, Jacqueline Woodson, Paul O. Zelinsky y Jonah Zuckerman. Le doy las gracias a mi sobrina, Allison Selznick, que dibujó las flores y las hojas del ejemplar de Ben de *Maravillas*, a mis sobrinos Brennan y Dillan y a Jordan Spector, que me habló de la cita de Oscar Wilde. Los empleados de la librería Warwick de La Jolla me apoyaron muchísimo mientras trabajaba en este libro, en especial Jan Iverson y Janet Lutz.

Tony Nichols, Angela Hanka y Catherine Wagner, de Lapis Press, me prestaron más ayuda de la que les pedí, y les agradezco mucho sus conocimientos sobre escaneado e impresión. Noel Silverman continúa guiándome de forma brillante como abogado y amigo, y mi gratitud hacia él no puede hacer más que crecer.

También he de agradecer a la Colonia MacDowell, en New Hampshire, las siete lluviosas semanas que pasé allí durante el verano de 2009, trabajando en este libro en una preciosa cabaña del bosque.

El equipo de Scholastic sigue maravillándome a cada paso por su apoyo y entusiasmo. Les doy las gracias a Ellie Berger, Lori Benton, Emellia Zamani, Chelsea Donaldson, Monique Vescia, Joy Simpkins, Karyn Browne, Adam Cruz, Meryl Wolfe, Shannon Rice, Charisse Meloto, Rachel Coun, Stacy Lellos, Leslie Garych, Geoff DeCicco, Risa Wallberg, Steve Alexandrov, Adrienne Vrettos, Norah Forman, Vicki Tisch, Catherine Sisco, John Mason, Lizette Serrano, Tracy van Straaten, Jazan Higgins y Rachel Horowitz. Gracias de nuevo a David Saylor y Charles Kreloff por su excelente trabajo de diseño, y a mi editora Tracy Mack, que es, sencillamente, la razón por la que existe este libro.

Y, por supuesto, gracias a David Serlin por todo.

Este libro está dedicado a Maurice Sendak.

www.literaturasm.com

Dirección editorial: Elsa Aguiar
Coordinación editorial: Xohana Bastida
Traducción: Ana H. de Deza

Título original: *Wonderstruck*

Publicado por acuerdo con Scholastic Inc., 557 Broadway,
Nueva York, NY 10012, EE UU.
La publicación de este libro se ha negociado a través de Ute Körner
Literary Agent, S.L., Barcelona
www.uklitag.com
Todos los derechos reservados.

© Brian Selznick, 2011
© Ediciones SM, 2012
Impresores, 2
Urbanización Prado del Espino
28660 Boadilla del Monte (Madrid)
www.grupo-sm.com

ATENCIÓN AL CLIENTE
Tel.: 902 121 323
Fax: 902 241 222
e-mail: clientes@grupo-sm.com

ISBN 978-84-675-5702-2
Depósito legal: M-24688-2012
Impreso en la UE / *Printed in EU*